5

Editionen für den Literaturunterricht
Herausgeber: Dietrich Steinbach

Georg Büchner

›Woyzeck‹

Lese- und Bühnenfassung

mit Materialien

Ausgewählt und eingeleitet
von Thomas Kopfermann
und Hartmut Stirner

D1479014

Ernst Klett Verlag
Stuttgart Düsseldorf Leipzig

[ ] Vom Herausgeber eingesetzte Titel im Materialienteil ab Seite 29.
* Vom Herausgeber eingesetzte Fußnoten.

Umschlag: Büchner, Lithographie oder Zeichnung von Heinrich Adolf Valentin Hoffmann. Ausschnitt.

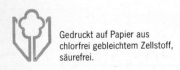

Gedruckt auf Papier aus chlorfrei gebleichtem Zellstoff, säurefrei.

1. Auflage   1 19 18 17 | 2000 99 98

Alle Drucke dieser Auflage können im Unterricht nebeneinander benutzt werden, sie sind untereinander unverändert. Die letzte Zahl bezeichnet das Jahr dieses Druckes.
Der Abdruck folgt – auch hinsichtlich Rechtschreibung und Zeichensetzung – der Ausgabe Georg Büchner: Sämtliche Werke und Briefe. Historisch-kritische Ausgabe mit Kommentar, hrsg. von Werner R. Lehmann, Band 1. Carl Hanser Verlag, München ²1974, S. 407–431.
Materialien: © Ernst Klett Verlag GmbH, Stuttgart 1979.
Alle Rechte vorbehalten.
Umschlag: Zembsch' Werkstatt, München.
Fotosatz: KLETT DRUCK, Stuttgart/Korb.
Druck: Ludwig Auer GmbH, Donauwörth.
ISBN 3-12-351600-8

Personen

FRANZ WOYZECK

MARIE

HAUPTMANN

DOCTOR

TAMBOURMAJOR

UNTEROFFICIER

ANDRES

MARGRETH

AUSRUFER vor einer Bude

MARKTSCHREIER im Inneren der Bude

ALTER MANN, der zum Leierkasten singt

KIND, das tanzt

DER JUDE

WIRTH

ERSTER HANDWERKSBURSCH

ZWEITER HANDWERKSBURSCH

KARL, ein Idiot

KÄTHE

GROSSMUTTER

ERSTES KIND

ZWEITES KIND

DRITTES KIND

ERSTE PERSON

ZWEITE PERSON

GERICHTSDIENER

ARZT

RICHTER

Soldaten, Studenten, Burschen, Mädchen und Kinder

Freies Feld. Die Stadt in der Ferne

WOYZECK *und* ANDRES *schneiden Stöcke im Gebüsch.*

WOYZECK: Ja Andres; den Streif da über das Gras hin,
da rollt Abends der Kopf, es hob ihn einmal einer
5   auf, er meint' es wär' ein Igel. Drei Tag und drei
Nächt und er lag auf den Hobelspänen *leise* Andres,
das waren die Freimaurer, ich hab's, die Freimaurer,
still!

ANDRES *singt:*   Saßen dort zwei Hasen,
10   Fraßen ab das grüne, grüne Gras ...

WOYZECK: Still! Es geht was!

ANDRES: Fraßen ab das grüne, grüne Gras
             Bis auf den Rasen.

WOYZECK: Es geht hinter mir, unter mir *(stampft auf den*
15   *Boden)* hohl, hörst du? Alles hohl da unten. Die Freimaurer!

ANDRES: Ich fürcht mich.

WOYZECK: S'ist so kurios still. Man möcht den Athem
halten. Andres!

20 ANDRES: Was?

WOYZECK: Red was! *(Starrt in die Gegend.)* Andres! Wie
hell! Ein Feuer fährt um den Himmel und ein Getös
herunter wie Posaunen. Wie's heraufzieht! Fort. Sieh
nicht hinter dich. *(Reißt ihn in's Gebüsch.)*

25 ANDRES *nach einer Pause:* Woyzeck! hörst du's noch?

WOYZECK: Still, Alles still, als wär die Welt todt.

ANDRES: Hörst du? Sie trommeln drin. Wir müssen fort.

Die Stadt

MARIE *mit ihrem Kind am Fenster.* MARGRETH.
30 *Der Zapfenstreich geht vorbey, der* TAMBOURMAJOR *voran.*

MARIE *das Kind wippend auf dem Arm:* He Bub! Sa ra ra
ra! Hörst? Da komme sie.

MARGRETH: Was ein Mann, wie ein Baum.

MARIE: Er steht auf seinen Füßen wie ein Löw.

    (Tambourmajor grüßt.)

MARGRETH: Ey, was freundliche Auge, Frau Nachbarin,
o was is man an ihr nit gewöhnt.

MARIE *singt:*
> Soldaten das sind schöne Bursch . . .

MARGRETH: Ihre Auge glänze ja noch.

MARIE: Und wenn! Trag Sie Ihre Auge zum Jud und laß Sie sie putze, vielleicht glänze sie noch, daß man sie für zwei Knöpf verkaufe könnt.

MARGRETH: Was Sie? Sie? Frau Jungfer, ich bin eine honette Person, aber Sie, Sie guckt siebe Paar lederne Hose durch.

MARIE: Luder! *(Schlägt das Fenster zu.)* Komm mein Bub. Was die Leut wollen. Bist doch nur en arm Hurenkind und machst deiner Mutter Freud mit deim unehrliche Gesicht. Sa! Sa!

Singt:
> Mädel, was fangst du jetzt an?
> Hast ein klein Kind und kein Mann.
> Ey was frag ich danach,
> Sing ich die ganze Nacht
> Heyo popeio mein Bu. Juchhe!
> Giebt mir kein Mensch nix dazu.
>
> Hansel spann deine sechs Schimmel an,
> Gieb ihn zu fresse auf's neu.
> Kein Haber fresse sie,
> Kein Wasser saufe sie,
> Lauter kühle Wein muß es seyn. Juchhe!
> Lauter kühle Wein muß es seyn.

Es klopft am Fenster.

MARIE: Wer da? Bist du's Franz? Komm herein!

WOYZECK: Kann nit. Muß zum Verles.

MARIE: Was hast du Franz?

WOYZECK *geheimnißvoll:* Marie, es war wieder was, viel, steht nicht geschrieben: und sieh da ging ein Rauch vom Land, wie der Rauch vom Ofen?

MARIE: Mann!

WOYZECK: Es ist hinter mir gegangen bis vor die Stadt. Was soll das werden?

MARIE: Franz!

WOYZECK: Ich muß fort. *(Er geht.)*

5

MARIE: Der Mann! So vergeistert. Er hat sein Kind
nicht angesehn. Er schnappt noch über mit den
Gedanken. Was bist so still, Bub? Furchst' dich? Es
wird so dunkel, man meint, man wär blind. Sonst
5 scheint doch als die Latern herein. Ich halt's nicht
aus. Es schauert mich. *(Geht ab.)*

Buden. Lichter. Volk

ALTER MANN, *der zum Leierkasten singt,* KIND *das tanzt:*
Auf der Welt ist kein Bestand,
10 Wir müssen alle sterben,
Das ist uns wohlbekannt!
MARIE: Hey! Hopsa!
WOYZECK: Arm Mann, alter Mann! Arm Kind! Jung
Kind! Sorgen und Fest! Hey Marie, soll ich dich . . . ?
15 MARIE: Ein Mensch muß auch der Narr von Verstand
seyn, damit er sagen kann: Narrisch Welt! Schön Welt!
AUSRUFER *vor einer Bude:* Meine Herren! Meine Herren! Sehn Sie die Creatur, wie sie Gott gemacht, nix,
gar nix. Sehen Sie jezt die Kunst, geht aufrecht hat
20 Rock und Hosen, hat ein Säbel! Ho! Mach Compli-
ment! So bist Baron. Gieb Kuß! *(Er trompetet.)* Wicht
ist musikalisch. Meine Herrn, meine Damen, hier
sind zu sehn das astronomische Pferd und die kleine
Canaillevogel, sind Liebling von alle Potentate Euro-
25 pas und Mitglied von alle gelehrte Societät, verkündi-
ge de Leute Alles, wie alt, wie viel Kinder, was für
Krankheit. Schießt Pistol los, stellt sich auf ein Bein.
Alles Erziehung, habe nur eine viehische Vernunft,
oder vielmehr eine ganz vernünftige Viehigkeit, ist
30 kein viehdummes Individuum wie viel Person, das
verehrliche Publikum abgerechnet. Herein. Es wird
sein, die rapräsentation. Das commencement vom
commencement wird sogleich nehm sein Anfang.
Sehn Sie die Fortschritte der Civilisation. Alles
35 schreitet fort, ein Pferd, ein Aff, ein Canaillevogel!
Der Aff ist schon ein Soldat, s' ist noch nit viel, un-
terst Stuf von menschliche Geschlecht!

6

Die rapräsentation anfangen! Man mackt Anfang von Anfang. Es wird sogleich seyn das commencement von commencement.

WOYZECK: Willst du?

MARIE: Meinetwege. Das muß schön Dings seyn. Was der Mensch Quasten hat und die Frau hat Hosen.

UNTEROFFICIER. TAMBOURMAJOR.

UNTEROFFICIER: Halt, jezt. Siehst du sie! Was n' Weibsbild.

TAMBOURMAJOR: Teufel, zum Fortpflanzen von Kürassierregimenter und zur Zucht von Tambourmajors!

UNTEROFFICIER: Wie sie den Kopf trägt, man meint das schwarz Haar müßt sie abwärts ziehn, wie ein Gewicht, und Auge, schwarz . . .

TAMBOURMAJOR: Als ob man in ein Ziehbrunn oder zu eim Schornstein hinabguckt. Fort hinte drein.

MARIE: Was Lichter, mei Auge!

WOYZECK: Ja de Brandwein, ein Faß schwarz Katze mit feurige Auge. Hey, was n' Abend.

Das Innere der Bude.

MARKTSCHREIER: Zeig' dein Talent! zeig deine viehische Vernünftigkeit! Beschäm die menschlich Societät! Meine Herren, dieß Thier, das Sie da sehn, Schwanz am Leib, auf sei vier Hufe ist Mitglied von alle gelehrte Societät, ist Professor an unse Universität, wo die Studente bey ihm reiten und schlage lerne. Das war einfacher Verstand. Denk jezt mit der doppelte raison. Was machst du wann du mit der doppelte Raison denkst? Ist unter der gelehrte Société da ein Esel? *(Der Gaul schüttelt den Kopf.)* Sehn Sie jezt die doppelte Räson? Das ist Viehsionomik. Ja das ist kei viehdummes Individuum, das ist eine Person. Ei Mensch, ei thierisch Mensch und doch ei Vieh, ei bête. *(Das Pferd führt sich ungebührlich auf.)* So beschäm die société. Sehn Sie das Vieh ist noch Natur, unideale Natur! Lern Sie bey ihm. Fragen Sie den Arzt, es ist höchst schädlich. Das hat geheiße: Mensch sey natürlich. Du bist geschaffe Staub, Sand, Dreck.

Willst du mehr seyn, als Staub, Sand, Dreck? Sehn
Sie was Vernunft, es kann rechnen und kann doch nit
an de Finger herzählen, warum? Kann sich nur nit
ausdrücke, nur nit explicirn, ist ein vewandelter
5 Mensch! Sag den Herrn, wieviel Uhr es ist. Wer von
den Herrn und Damen hat eine Uhr, eine Uhr?
UNTEROFFICIER: Eine Uhr! *(Zieht großartig und gemes-
sen die Uhr aus der Tasche.) Da mein Herr.*
MARIE: Das muß ich sehn. *(Sie klettert auf den I. Platz.*
10 *Unterofficier hilft ihr.)*

Kammer

MARIE *sizt, ihr Kind auf dem Schooß,*
ein Stückchen Spiegel in der Hand.
MARIE *bespiegelt sich:* Was die Steine glänze! Was sind's
15 für? Was hat er gesagt? – Schlaf Bub! Drück die Auge zu, fest, *(das Kind versteckt die Augen hinter den*
Händen) noch fester, bleib so, still oder er holt dich.
Singt: Mädel mach's Ladel zu,
                       S' kommt e Zigeunerbu,
20   Führt dich an deiner Hand
                       Fort in's Zigeunerland.
(Spiegelt sich wieder.) S' ist gewiß Gold! Unseins hat
nur ein Eckchen in der Welt und ein Stückchen Spiegel und doch hab' ich einen so rothen Mund als die
25 großen Madamen mit ihren Spiegeln von oben bis
unten und ihren schönen Herrn, die ihnen die Händ
küssen, ich bin nur ein arm Weibsbild. – *(Das Kind*
richtet sich auf.) Still Bub, die Auge zu, das Schlaf-
engelchen! wie's an der Wand läuft, *(sie blinkt mit*
30 *dem Glas)* die Auge zu, oder es sieht dir hinein, daß
du blind wirst.
        WOYZECK *tritt herein, hinter sie.*
    Sie fährt auf mit den Händen nach den Ohren.
WOYZECK: Was hast du?
35 MARIE: Nix.
WOYZECK: Unter deinen Fingern glänzt's ja.
MARIE: Ein Ohrringlein; hab's gefunden.

8

WOYZECK: Ich hab so noch nix gefunden. Zwei auf einmal.

MARIE: Bin ich ein Mensch?

WOYZECK: S' ist gut, Marie. – Was der Bub schläft.
Greif' ihm unter's Aermchen der Stuhl drückt ihn.
Die hellen Tropfen steh'n ihm auf der Stirn; Alles Arbeit unter der Sonn, sogar Schweiß im Schlaf. Wir arme Leut! Da is wieder Geld Marie, die Löhnung und
was von mein'm Hauptmann.

MARIE: Gott vergelt's Franz.

WOYZECK: Ich muß fort. Heut Abend, Marie. Adies.

MARIE *(allein, nach einer Pause):* Ich bin doch ein
schlecht Mensch. Ich könnt' mich erstechen. – Ach!
Was Welt? Geht doch Alles zum Teufel, Mann und
Weib.

Der Hauptmann. Woyzeck

HAUPTMANN *auf einem Stuhl,* WOYZECK *rasirt ihn.*

HAUPTMANN: Langsam, Woyzeck, langsam; ein's nach
dem andern. Er macht mir ganz schwindlich. Was
soll ich dann mit den zehn Minuten anfangen, die Er
heut zu früh fertig wird? Woyzeck, bedenk' Er, Er hat
noch seine schöne dreißig Jahr zu leben, dreißig Jahr!
macht 360 Monate, und Tage, Stunden, Minuten!
Was will Er denn mit der ungeheuren Zeit all anfangen? Theil Er sich ein, Woyzeck.

WOYZECK: Ja wohl, Herr Hauptmann.

HAUPTMANN: Es wird mir ganz angst um die Welt, wenn
ich an die Ewigkeit denke. Beschäftigung, Woyzeck,
Beschäftigung! ewig das ist ewig, das ist ewig, das
siehst du ein; nun ist es aber wieder nicht ewig und
das ist ein Augenblick, ja, ein Augenblick – Woyzeck, es schaudert mich, wenn ich denk, daß sich die
Welt in einem Tag herumdreht, was n'e Zeitver-
schwendung, wo soll das hinaus? Woyzeck, ich kann
kein Mühlrad mehr sehn, oder ich werd' melancho-
lisch.

WOYZECK: Ja wohl, Herr Hauptmann.

HAUPTMANN: Woyzeck Er sieht immer so verhetzt aus. Ein guter Mensch thut das nicht, ein guter Mensch, der sein gutes Gewissen hat. – Red' Er doch was Woyzeck. Was ist heut für Wetter?

5 WOYZECK: Schlimm, Herr Hauptmann, schlimm; Wind.

HAUPTMANN: Ich spür's schon, s' ist so was Geschwindes draußen; so ein Wind macht mir den Effect wie eine Maus. *(Pfiffig.)* Ich glaub' wir haben so was aus Süd-Nord.

10 WOYZECK: Ja wohl, Herr Hauptmann.

HAUPTMANN: Ha! ha! ha! ha! Süd-Nord! Ha! Ha! Ha! O Er ist dumm, ganz abscheulich dumm. *(Gerührt.)* Woyzeck, Er ist ein guter Mensch, ein guter Mensch – aber *(mit Würde)* Woyzeck, Er hat keine Moral! Mo-
15 ral das ist wenn man moralisch ist, versteht Er. Es ist ein gutes Wort. Er hat ein Kind, ohne den Segen der Kirche, wie unser hochehrwürdiger Herr Garnisonsprediger sagt, ohne den Segen der Kirche, es ist nicht von mir.

20 WOYZECK: Herr Hauptmann, der liebe Gott wird den armen Wurm nicht drum ansehn, ob das Amen drüber gesagt ist, eh' er gemacht wurde. Der Herr sprach: Lasset die Kindlein zu mir kommen.

HAUPTMANN: Was sagt Er da? Was ist das für n'e kurio-
25 se Antwort? Er macht mich ganz confus mit seiner Antwort. Wenn ich sag: Er, so mein ich Ihn, Ihn.

WOYZECK: Wir arme Leut. Sehn Sie, Herr Hauptmann, Geld, Geld. Wer kein Geld hat. Da setz eimal einer seinsgleichen auf die Moral in die Welt. Man hat
30 auch sein Fleisch und Blut. Unseins ist doch einmal unseelig in der und der andern Welt, ich glaub' wenn wir in Himmel kämen so müßten wir donnern helfen.

HAUPTMANN: Woyzeck Er hat keine Tugend, Er ist kein tugendhafter Mensch. Fleisch und Blut? Wenn ich
35 am Fenster lieg, wenn's geregnet hat und den weißen Strümpfen so nachsehe wie sie über die Gassen springen, – verdammt Woyzeck, – da kommt mir die Liebe. Ich hab auch Fleisch und Blut. Aber Woyzeck, die Tugend, die Tugend! Wie sollte ich dann die Zeit her-

umbringen? ich sag' mir immer: Du bist ein tugendhafter Mensch, *(gerührt)* ein guter Mensch, ein guter
Mensch.

WOYZECK: Ja Herr Hauptmann, die Tugend ich hab's
noch nicht so aus. Sehn Sie, wir gemeine Leut, das 5
hat keine Tugend, es kommt einem nur so die Natur,
aber wenn ich ein Herr wär und hätt ein Hut und eine
Uhr und eine anglaise und könnt vornehm reden, ich
wollt schon tugendhaft seyn. Es muß was Schöns
seyn um die Tugend, Herr Hauptmann. Aber ich bin 10
ein armer Kerl.

HAUPTMANN: Gut Woyzeck. Du bist ein guter Mensch,
ein guter Mensch. Aber du denkst zuviel, das zehrt,
du siehst immer so verhetzt aus. Der Diskurs hat mich
ganz angegriffen. Geh' jezt und renn nicht so; lang- 15
sam hübsch langsam die Straße hinunter.

Kammer

MARIE, TAMBOURMAJOR.

TAMBOURMAJOR: Marie!

MARIE *ihn ansehend, mit Ausdruck:* Geh' einmal vor 20
dich hin. – Ueber die Brust wie ein Rind und ein Bart
wie ein Löw – So ist keiner – Ich bin stolz vor allen
Weibern.

TAMBOURMAJOR: Wenn ich am Sonntag erst den großen
Federbusch hab' und die weiße Handschuh, Donner- 25
wetter, Marie, der Prinz sagt immer: Mensch, Er ist
ein Kerl.

MARIE *spöttisch:* Ach was! *(Tritt vor ihn ihn.)* Mann!

TAMBOURMAJOR: Und du bist auch ein Weibsbild. Sap-
perment, wir wollen eine Zucht von Tambourmajors 30
anlegen. He? *(Er umfaßt sie.)*

MARIE *verstimmt:* Laß mich!

TAMBOURMAJOR: Wild Thier.

MARIE *heftig:* Rühr mich an!

TAMBOURMAJOR: Sieht dir der Teufel aus den Augen? 35

MARIE: Meintwegen. Es ist Alles eins.

11

Auf der Gasse

MARIE. WOYZECK.

WOYZECK *sieht sie starr an, schüttelt den Kopf:* Hm! Ich
seh nichts, ich seh nichts. O, man müßt's sehen, man
5 müßt's greifen könne mit Fäusten.

MARIE *verschüchtert:* Was hast du Franz? Du bist hirn-
würhig Franz.

WOYZECK: Eine Sünde so dick und so breit. Es stinkt
daß man die Engelchen zum Himmel hinaus rauche
10 könnt. Du hast ein rothe Mund, Marie. Keine Blase
drauf? Adieu, Marie, du bist schön wie die Sünde –.
Kann die Todsünde so schön seyn?

MARIE: Franz, du red'st im Fieber.

WOYZECK: Teufel! – Hat er da gestande, so, so?

15 MARIE: Dieweil der Tag lang und die Welt alt ist, könn'
viel Mensche an eim Plaz stehn, einer nach dem andern.

WOYZECK: Ich hab ihn gesehn.

MARIE: Man kann viel sehn, wenn man zwei Auge hat
20 und man nicht blind ist und die Sonn scheint.

WOYZECK: Mit dießen Augen!

MARIE *keck:* Und wenn auch.

Beim Doctor

WOYZECK. DER DOCTOR.

25 DOCTOR: Was erleb' ich Woyzeck? Ein Mann von Wort.

WOYZECK: Was denn Herr Doctor?

DOCTOR: Ich hab's gesehn Woyzeck; Er hat auf die
Straß gepißt, an die Wand gepißt wie ein Hund. Und
doch zwei Groschen täglich. Woyzeck das ist
30 schlecht. Die Welt wird schlecht, sehr schlecht.

WOYZECK: Aber Herr Doctor, wenn einem die Natur
kommt.

DOCTOR: Die Natur kommt, die Natur kommt! Die Natur! Hab' ich nicht nachgewiesen, daß der musculus
35 constrictor vesicae dem Willen unterworfen ist? Die
Natur! Woyzeck, der Mensch ist frei, in dem Menschen verklärt sich die Individualität zur Freiheit.

12

Den Harn nicht halten können! *(Schüttelt den Kopf, legt die Hände auf den Rücken und geht auf und ab.)* Hat Er schon seine Erbsen gegessen, Woyzeck? – Es giebt eine Revolution in der Wissenschaft, ich sprenge sie in die Luft. Harnstoff 0,10, salzsaures Ammonium, Hyperoxydul.

Woyzeck muß Er nicht wieder pissen? geh' Er einmal hinein und probir Er's.

WOYZECK: Ich kann nit Herr Doctor.

DOCTOR *mit Affect:* Aber an die Wand pissen! Ich hab's schriftlich, den Akkord in der Hand. Ich hab's gesehn, mit dießen Augen gesehn, ich steckt grade die Nase zum Fenster hinaus und ließ die Sonnstrahlen hineinfallen, um das Niesen zu beobachten. *(Tritt auf ihn los.)* Nein Woyzeck, ich ärgre mich nicht, Ärger ist ungesund, ist unwissenschaftlich. Ich bin ruhig ganz ruhig, mein Puls hat seine gewöhnlichen 60 und ich sag's Ihm mit der größten Kaltblütigkeit. Behüte wer wird sich über einen Menschen ärgern, ein Menschen! Wenn es noch ein proteus wäre, der einem krepirt! Aber Er hätte doch nicht an die Wand pissen sollen –

WOYZECK: Sehn Sie Herr Doctor, manchmal hat einer so n'en Character, so n'e Structur. – Aber mit der Natur ist's was anders, sehn Sie mit der Natur *(er kracht mit den Fingern)* das ist so was, wie soll ich doch sagen, zum Beispiel . . .

DOCTOR: Woyzeck, Er philosophirt wieder.

WOYZECK *vertraulich:* Herr Doctor haben Sie schon was von der doppelten Natur gesehn? Wenn die Sonn in Mittag steht und es ist als ging die Welt in Feuer auf hat schon eine fürchterliche Stimme zu mir geredt!

DOCTOR: Woyzeck, Er hat eine aberratio.

WOYZECK *(legt den Finger an die Nase:)* Die Schwämme Herr Doctor. Da, da steckts. Haben Sie schon gesehn in was für Figuren die Schwämme auf dem Boden wachsen? Wer das lesen könnt.

DOCTOR: Woyzeck Er hat die schönste aberratio mentalis partialis, die zweite Species, sehr schön ausgeprägt. Woyzeck Er kriegt Zulage. Zweite Species, fixe Idee, mit allgemein vernünftigem Zustand, Er thut noch Alles wie sonst, rasirt sein Hauptmann?

WOYZECK: Ja, wohl.

5 DOCTOR: Ißt sei Erbse?

WOYZECK: Immer ordentlich Herr Doctor. Das Geld für die Menage kriegt mei Frau.

DOCTOR: Thut sei Dienst?

WOYZECK: Ja wohl.

10 DOCTOR: Er ist ein interessanter casus. Subject Woyzeck Er kriegt Zulag. Halt Er sich brav. Zeig Er sei Puls! Ja.

Straße

HAUPTMANN. DOCTOR.

15 *Hauptmann keucht die Straße herunter,*
hält an, keucht, sieht sich um.

HAUPTMANN: Herr Doctor, die Pferde machen mir ganz Angst; wenn ich denke, daß die armen Bestien zu Fuß gehn müssen. Rennen Sie nicht so. Rudern Sie mit Ih-
20 rem Stock nicht so in der Luft. Sie hetzen sich ja hinter dem Tod drein. Ein guter Mensch, der sein gutes Gewissen hat, geht nicht so schnell. Ein guter Mensch. *(Er erwischt den Doctor am Rock.)* Herr Doctor erlauben Sie, daß ich ein Menschenleben rette, Sie
25 schießen ... Herr Doctor, ich bin so schwermüthig, ich habe so was Schwärmerisches, ich muß immer weinen, wenn ich meinen Rock an der Wand hängen sehe, da hängt er.

DOCTOR: Hm! aufgedunsen, fett, dicker Hals, apoplecti-
30 sche Constitution. Ja Herr Hauptmann Sie können eine apoplexia cerebralis kriegen, Sie können sie aber vielleicht auch nur auf der einen Seite bekommen, und dann auf der einen gelähmt seyn, oder aber Sie können im besten Fall geistig gelähmt werden und
35 nur fort vegetiren, das sind so ohngefähr Ihre Aussichten auf die nächsten vier Wochen. Übrigens kann ich Sie versichern, daß Sie einen von den inter-

essanten Fällen abgeben und wenn Gott will, daß
Ihre Zunge zum Theil gelähmt wird, so machen wir
die unsterblichsten Experimente.

HAUPTMANN: Herr Doctor erschrecken Sie mich nicht,
es sind schon Leute am Schreck gestorben, am bloßen
hellen Schreck. – Ich seh schon die Leute mit den Ci-
tronen in den Händen, aber sie werden sagen, er war
ein guter Mensch, ein guter Mensch – Teufel Sargnagel.

DOCTOR *hält ihm den Hut hin:* Was ist das Herr Hauptmann? Das ist Hohlkopf!

HAUPTMANN *macht eine Falte:* Was ist das Herr Doctor?
Das ist Einfalt.

DOCTOR: Ich empfehle mich, geehrtester Herr Exercirza-
gel.

HAUPTMANN: Gleichfalls, bester Herr Sargnagel.

WOYZECK *kommt die Straße heruntergerannt.*

HAUPTMANN: He Woyzeck, was hetzt Er sich so an uns
vorbey? Bleib er doch Woyzeck, Er läuft ja wie ein
offnes Rasirmesser durch die Welt, man schneidt sich
an Ihm, Er läuft als hätt Er ein Regiment Kastrirte zu
rasirn und würd gehenkt über dem letzten Haar noch
vorm Verschwinden – aber, über die langen Bärte,
was wollt ich doch sagen? Woyzeck – die langen Bärte . . .

DOCTOR: Ein langer Bart unter dem Kinn, schon Plinius
spricht davon, man muß es den Soldaten abgewöh-
nen, du, du . . .

HAUPTMANN *fährt fort:* Hä? über die langen Bärte? Wie
is Woyzeck, hat Er noch nicht ein Haar aus eim Bart
in seiner Schüssel gefunden? He, Er versteht mich
doch, ein Haar von einem Menschen, vom Bart eines
sapeur, eines Unterofficier, eines – eines Tambourmajor? He Woyzeck? Aber Er hat eine brave Frau.
Geht Ihm nicht wie andern.

WOYZECK: Ja wohl! Was wollen Sie sagen Herr Hauptmann?

HAUPTMANN: Was der Kerl ein Gesicht macht! muß nun

15

auch nicht in der Suppe seyn, aber wenn Er sich eilt
und um die Eck geht, so kann Er vielleicht noch auf
Paar Lippen eins finden, ein Paar Lippen, Woyzeck,
ich habe auch die Liebe gefühlt, Woyzeck.

5 Kerl Er ist ja kreideweiß.

WOYZECK: Herr, Hauptmann, ich bin ein arm Teufel, –
und hab sonst nichts auf der Welt Herr Hauptmann,
wenn Sie Spaß machen –

HAUPTMANN: Spaß ich, daß dich Spaß, Kerl!

10 DOCTOR: Den Puls Woyzeck, den Puls, klein, hart, hüpfend, unregelmäßig.

WOYZECK: Herr Hauptmann, die Erd ist höllenheiß, mir
eiskalt! eiskalt, die Hölle ist kalt, wollen wir wetten.
Unmöglich, Mensch! Mensch! unmöglich.

15 HAUPTMANN: Kerl, will Er erschossen werden, will Er
ein Paar Kugeln vor den Kopf haben? Er ersticht
mich mit seinen Augen, und ich mein's gut mit Ihm,
weil Er ein guter Mensch ist Woyzeck, ein guter
Mensch.

20 DOCTOR: Gesichtsmuskeln starr, gespannt, zuweilen
hüpfend, Haltung aufgerichtet, gespannt.

WOYZECK: Ich geh! Es ist viel möglich. Der Mensch! es
ist viel möglich. Wir habe schön Wetter Herr Hauptmann. Sehn Sie so ein schön, festen groben Himmel,

25 man könnte Lust bekomm, ein Kloben hineinzu-
schlagen und sich daran zu hänge, nur wege des Ge-
dankenstrichels zwischen Ja, und wieder ja – und
nein, Herr, Herr Hauptmann ja und nein? Ist das
Nein am Ja oder das Ja am Nein Schuld? Ich will

30 drüber nachdenke. (Geht mit breiten Schritten ab, erst
langsam dann immer schneller.)

DOCTOR (schießt ihm nach): Phänomen, Woyzeck, Zulage.

HAUPTMANN: Mir wird ganz schwindlich vor den Men-

35 schen, wie schnell, der lange Schlingel greift aus, es
läuft der Schatten von einem Spinnbein, und der
Kurze, – das zuckelt. Der Lange ist der Blitz und der
Kleine der Donner. Haha, hinterdrein. Grotesk! grotesk!

16

Die Wachtstube

WOYZECK. ANDRES.

ANDRES *singt:* Frau Wirthin hat n'e brave Magd,
        Sie sizt im Garten Tag und Nacht,
        Sie sizt in ihrem Garten ...   5

WOYZECK: Andres!

ANDRES: Nu?

WOYZECK: Schön Wetter.

ANDRES: Sonntagsonnwetter. Musik vor der Stadt. Vorhin sind die Weibsbilder hinaus, die Mensche 10 dampfe, das geht.

WOYZECK *unruhig:* Tanz, Andres, sie tanze.

ANDRES: Im Rössel und im Sternen.

WOYZECK: Tanz, Tanz.

ANDRES: Meintwege.   15

        Sie sitzt in ihrem Garten,
        Bis daß das Glöcklein zwölfe schlägt,
        Und paßt auf die Solda-aten.

WOYZECK: Andres, ich hab kei Ruh.

ANDRES: Narr!   20

WOYZECK: Ich muß hinaus. Es dreht sich mir vor den Augen. Tanz. Tanz. Was sie heiße Händ habe. Verdammt Andres!

ANDRES: Was willst du?

WOYZECK: Ich muß fort.   25

ANDRES: Mit dem Mensch.

WOYZECK: Ich muß hinaus, s' ist so heiß da hie.

Wirthshaus

Die Fenster offen, Tanz. Bänke vor dem Haus. Bursche.

ERSTER HANDWERKSBURSCH: 30

        Ich hab ein Hemdlein an das ist nicht mein,
        Meine Seele stinkt nach Branndewein ...

ZWEITER HANDWERKSBURSCH: Bruder, soll ich dir aus Freundschaft ein Loch in die Natur machen? Vorwärts! Ich will ein Loch in die Natur machen. Ich 35 bin auch ein Kerl, du weißt, ich will ihm alle Flöh am Leib todt schlagen.

17

ERSTER HANDWERKSBURSCH: Meine Seele, mei Seele stinkt nach Brandewein. Selbst das Geld geht in Verwesung über. Vergißmeinich! Wie ist dieße Welt so schön. Bruder, ich muß ein Regenfaß voll greinen.
5 Ich wollt unse Nase wärn zwei Bouteille und wir könnte sie uns einander in de Hals gießen.
ANDRE *im Chor:* Ein Jäger aus der Pfalz,
Ritt einst durch ein grünen Wald.
Halli, halloh, gar lustig ist die Jägerei
10 Allhier auf grüner Heid.
Das Jagen ist mei Freud.

WOYZECK *stellt sich an's Fenster.* MARIE *und der* TAMBOURMAJOR *tanzen vorbey, ohne ihn zu bemerken.*
15 MARIE *im Vorbeytanzen:* Immer, zu, immer zu.
WOYZECK *erstickt:* Immer zu! – immer zu! *(fährt heftig auf und sinkt zurück auf die Bank)* immer zu immer zu, *(schlägt die Hände in einander)* dreht euch, wälzt euch. Warum bläßt Gott nicht die Sonn aus, daß Al-
20 les in Unzucht sich übernanderwälzt, Mann und Weib, Mensch und Vieh. Thut's am hellen Tag, thut's einem auf den Händen, wie die Mücken. – Weib. – Das Weib ist heiß, heiß! – Immer zu, immer zu. *(Fährt auf.)* Der Kerl! Wie er an ihr herumtappt, an
25 ihrem Leib, er, er hat sie wie ich zu Anfang!
ERSTER HANDWERKSBURSCH *predigt auf dem Tisch:* Jedoch wenn ein Wandrer, der gelehnt steht an dem Strom der Zeit oder aber sich die göttliche Weisheit beantwortet und sich anredet: Warum ist der
30 Mensch? Warum ist der Mensch? – Aber wahrlich ich sage euch, von was hätte der Landmann, der Weißbinder, der Schuster, der Arzt leben sollen, wenn Gott den Menschen nicht geschaffen hätte? Von was hätte der Schneider leben sollen, wenn er
35 dem Menschen nicht die Empfindung der Schaam eingepflanzt, von was der Soldat, wenn Er ihn nicht mit dem Bedürfniß sich todtzuschlagen ausgerüstet hätte? Darum zweifelt nicht, ja ja, es ist lieblich und fein, aber Alles Irdische ist eitel, selbst das Geld geht

18

in Verwesung über. – Zum Beschluß meine geliebten Zuhörer laßt uns noch über's Kreuz pissen, damit ein Jud stirbt.

Freies Feld

WOYZECK: Immer zu! immer zu! Still Musik! *(Reckt sich gegen den Boden.)* Ha was, was sagt ihr? Lauter, lauter, – stich, stich die Zickwolfin todt? stich, stich die Zickwolfin todt. Soll ich? Muß ich? Hör ich's da auch, sagt's der Wind auch? Hör ich's immer, immer zu, stich todt, todt.

Nacht

ANDRES *und* WOYZECK *in einem Bett.*

WOYZECK *schüttelt Andres:* Andres! Andres! ich kann nit schlafe, wenn ich die Aug zumach, dreht sich's immer und ich hör die Geigen, immer zu, immer zu und dann spricht's aus der Wand, hörst du nix?

ANDRES: Ja, – laß sie tanze! Gott behüt uns, Amen. *(Schläft wieder ein.)*

WOYZECK: Es redt immer: stich! stich! und zieht mir zwischen den Augen wie ein Messer.

ANDRES: Du mußt Schnaps trinke und Pulver drin, das schneidt das Fieber.

Wirthshaus

TAMBOURMAJOR. WOYZECK. LEUTE.

TAMBOURMAJOR: Ich bin ein Mann! *(schlägt sich auf die Brust)* ein Mann sag' ich.

Wer will was? Wer kein besoffen Herrgott ist der laß sich von mir. Ich will ihm die Nas ins Arschloch prügeln. Ich will – *(zu Woyzeck)* da Kerl, sauf, der Mann muß saufen, ich wollt die Welt wär Schnaps, Schnaps.

WOYZECK *pfeift.*

TAMBOURMAJOR: Kerl, soll ich dir die Zung aus dem

Hals ziehe und sie um den Leib herumwickle? *(Sie ringen, Woyzeck verliert.)* Soll ich dir noch soviel Athem lassen als en Altweiberfurz, soll ich?

WOYZECK *setzt sich erschöpft zitternd auf die Bank.*

5 TAMBOURMAJOR: Der Kerl soll dunkelblau pfeifen. Ha.   Brandewein das ist mein Leben,   Brandwein giebt courage!

EINE: Der hat sei Fett.

ANDRE: Er blut.

10 WOYZECK: Eins nach dem andern.

Kramladen

WOYZECK. DER JUDE.

WOYZECK: Das Pistolche ist zu theuer.

JUD: Nu, kauft's oder kauft's nit, was is?

15 WOYZECK: Was kost das Messer?

JUD: S' ist ganz, grad. Wollt Ihr Euch den Hals mit abschneide? Nu, was is es? Ich geb's Euch so wohlfeil wie ein andrer, Ihr sollt Euern Tod wohlfeil haben, aber doch nit umsonst. Was is es? Er soll nen ökono-
20 mischen Tod habe.

WOYZECK: Das kann mehr als Brod schneide.

JUD: Zwee Grosche.

WOYZECK: Da! *(Geht ab.)*

JUD: Da! Als ob's nichts wär. Und s' is doch Geld. Der
25 Hund.

Kammer

MARIE. DER NARR.

MARIE *blättert in der Bibel:* »Und ist kein Betrug in seinem Munde erfunden« – Herrgott! Herrgott! Sieh
30 mich nicht an. *(Blättert weiter.)* »Aber die Pharisäer brachten ein Weib zu ihm, im Ehebruch begriffen und stelleten sie in's Mittel dar. – Jesus aber sprach: So verdamme ich dich auch nicht. Geh hin und sündige hinfort nicht mehr.« *(Schlägt die Hände zusam-*
35 *men.)* Herrgott! Hergott! Ich kann nicht. Herrgott

gieb mir nur soviel, daß ich beten kann. *(Das Kind drängt sich an sie.)* Das Kind giebt mir einen Stich in's Herz. Karl! Das brüst sich in der Sonne!

NARR *liegt und erzählt sich Mährchen an den Fingern:* Der hat die golden Kron, der Herr König. Morgen hol' ich der Frau Königin ihr Kind. Blutwurst sagt: komm Leberwurst! *(Er nimmt das Kind und wird still.)*

MARIE: Der Franz ist nit gekomm, gestern nit, heut nit, es wird heiß hier. *(Sie macht das Fenster auf.)* »Und trat hinein zu seinen Füßen und weinete und fing an seine Füße zu netzen mit Thränen und mit den Haaren ihres Hauptes zu trocknen und küssete seine Füße und salbete sie mit Salben.« *(Schlägt sich auf die Brust.)* Alles todt! Heiland, Heiland ich möchte dir die Füße salben.

Caserne

ANDRES. WOYZECK *kramt in seinen Sachen.*

WOYZECK: Das Kamisolche Andres, ist nit zur Montur, du kannst's brauche Andres. Das Kreuz is meiner Schwester und das Ringlein, ich hab auch noch ein Heiligen, zwei Herze und schön Gold, es lag in meiner Mutter Bibel, und da steht:

> Leiden sey all mein Gewinst,
> Leiden sey mein Gottesdienst.
> Herr wie dein Leib war roth und wund,
> laß mein Herz seyn aller Stund.

Mei Mutter fühlt nur noch, wenn ihr die Sonn auf die Händ scheint. Das thut nix.

ANDRES *ganz starr, sagt zu Allem:* Ja wohl.

WOYZECK *zieht ein Papier hervor:* Friedrich Johann Franz Woyzeck, Wehrmann, Füsilir im 2. Regiment, 2. Bataillon, 4. Compagnie, geb. Mariä Verkündigung, ich bin heut alt 30 Jahr, 7 Monat und 12 Tage.

ANDRES: Franz, du kommst in's Lazareth. Armer du mußt Schnaps trinke und Pulver drin das tödt das Fieber.

WOYZECK: Ja Andres, wann der Schreiner die Hobel-
span sammlet, es weiß niemand, wer sein Kopf drauf
lege wird.

Der Hof des Doctors

5   STUDENTEN *unten, der* DOCTOR *am Dachfenster.*
DOCTOR: Meine Herrn, ich bin auf dem Dach, wie Da-
vid, als er die Bathseba sah; aber ich sehe nichts als
die culs de Paris der Mädchenpension im Garten
trocknen. Meine Herrn wir sind an der wichtigen Fra-
10   ge über das Verhältniß des Subjects zum Object.
Wenn wir nur eins von den Dingen nehmen, worin
sich die organische Selbstaffirmation des Göttlichen,
auf einem so hohen Standpunkte manifestirt, und ihr
Verhältniß zum Raum, zur Erde, zum Planetarischen
15   untersuchen, meine Herrn, wenn ich dieße Katze zum
Fenster hinauswerfe, wie wird dieße Wesenheit sich
zum centrum gravitationis und dem eigenen Instinct
verhalten? He Woyzeck, *(brüllt)* Woyzeck!
WOYZECK: Herr Doctor sie beißt.
20 DOCTOR: Kerl, er greift die Bestie so zärtlich an, als
wär's seine Großmutter.
WOYZECK: Herr Doctor ich hab's Zittern.
DOCTOR *ganz erfreut:* Ey, ey, schön Woyzeck. *(Reibt sich
die Hände. Er nimmt die Katze.)* Was seh' ich meine
25   Herrn, die neue Species Hasenlaus, eine schöne Species, *(er zieht eine Loupe heraus)* meine Herren – *(die
Katze läuft fort.)* Meine Herrn, das Thier hat keinen
wissenschaftlichen Instinct. Meine Herrn, Sie können
dafür was anders sehen, sehn Sie, der Mensch, seit ei-
30   nem Vierteljahr ißt er nichts als Erbsen, beachten Sie
die Wirkung, fühlen Sie einmal was ein ungleicher
Puls, da und die Augen.
WOYZECK: Herr Doctor es wird mir dunkel. *(Er setzt
sich.)*
35 DOCTOR: Courage! Woyzeck noch ein Paar Tage, und
dann ist's fertig, fühlen Sie meine Herrn fühlen Sie.
(Sie betasten ihm Schläfe, Puls und Busen.)

à propos, Woyzeck, beweg den Herrn doch einmal die Ohren, ich hab es Ihnen schon zeigen wollen. Zwei Muskeln sind bey ihm thätig. Allons frisch!

WOYZECK: Ach Herr Doctor!

DOCTOR: Bestie, soll ich dir die Ohren bewegen, willst du's machen wie die Katze! So meine Herrn, das sind so Uebergänge zum Esel, häufig auch in Folge weiblicher Erziehung und die Muttersprache. Wieviel Haare hat dir die Mutter zum Andenken schon ausgerissen aus Zärtlichkeit? Sie sind dir ja danz dünn geworden, seit ein Paar Tagen, ja die Erbsen, meine Herren.

Marie mit Mädchen vor der Hausthür

MÄDCHEN: Wie scheint die Sonn St. Lichtmeßtag
        Und steht das Korn im Blühn.
        Sie gingen wohl die Straße hin,
        Sie gingen zu zwei und zwein.
        Die Pfeifer gingen vorn,
        Die Geiger hinte drein.
        Sie hatte rothe Sock ...

ERSTES KIND: S' ist nit schön.

ZWEITES KIND: Was willst du auch immer!

DRITTES KIND: Was hast zuerst anfangen?

ZWEITES KIND: Warum?

ERSTES KIND: Darum!

ZWEITES KIND: Aber warum darum?

DRITTES KIND: Es muß singen –? *(Sieht sich fragend im Kreise um und zeigt auf das 1. Kind.)*

ERSTES KIND: Ich kann nit.

ALLE KINDER: Marieche sing du uns.

MARIE: Kommt ihr klei Krabben!
        Ringle, ringel Rosenkranz. König Herodes.
        Großmutter erzähl.

GROSSMUTTER: Es war einmal ein arm Kind und hat kei Vater und kei Mutter war Alles todt und war Niemand mehr auf der Welt. Alles todt, und es ist hingangen und hat greint Tag und Nacht. Und weil auf

der Erd Niemand mehr war, wollt's in Himmel gehn,
und der Mond guckt es so freundlich an und wie's
endlich zum Mond kam, war's ein Stück faul Holz
und da ist es zur Sonn gangen und wie's zur Sonn
kam, war's ein verreckt Sonneblum und wie's zu den
Sterne kam, warens klei golde Mück, die waren ange-
steckt wie der Neuntödter sie auf die Schlehe steckt
und wie's wieder auf die Erd wollt, war die Erd ein
umgestürzter Hafen und war ganz allein und da hat
sich's hingesetzt und geweint und da sitzt es noch und
ist ganz allein.

WOYZECK: Marie!

MARIE *erschreckt:* Was ist?

WOYZECK: Marie wir wolln gehn. S' ist Zeit.

MARIE: Wohinaus?

WOYZECK: Weiß ich's?

Abend
Die Stadt in der Ferne

MARIE *und* WOYZECK.

MARIE: Also dort hinaus ist die Stadt. S' ist finster.

WOYZECK: Du sollst noch bleiben. Komm setz dich.

MARIE: Aber ich muß fort.

WOYZECK: Du wirst dir die Füß nicht wund laufen.

MARIE: Wie bist du nur auch!

WOYZECK: Weißt du auch wie lang es just ist, Marie?

MARIE: An Pfingsten zwei Jahr.

WOYZECK: Weißt du auch wie lang es noch seyn wird?

MARIE: Ich muß fort das Nachtessen richten.

WOYZECK: Friert's dich Marie? und doch bist du warm.
Was du heiße Lippen hast! (heiß, heiß Hurenathem
und doch möcht' ich den Himmel geben sie noch einmal zu küssen) und wenn man kalt ist so friert man
nicht mehr.
Du wirst vom Morgenthau nicht frieren.

MARIE: Was sagst du?

WOYZECK: Nix. *(Schweigen.)*

MARIE: Was der Mond roth auf geht.

WOYZECK: Wie ein blutig Eisen.

MARIE: Was hast du? Franz, du bist so blaß. *(Er zieht das Messer.)* Franz halt! Um des Himmels willen, Hü – Hülfe!

WOYZECK: Nimm das und das! Kannst du nicht sterben? So! so! Ha sie zuckt noch, noch nicht, noch nicht? Immer noch? *(Stößt zu.)* Bist du todt? Todt! Todt! *(Es kommen Leute, läuft weg.)*

Es kommen Leute

ERSTE PERSON: Halt!

ZWEITE PERSON: Hörst du? Still! Da!

ERSTE PERSON: Uu! Da! Was ein Ton.

ZWEITE PERSON: Es ist das Wasser, es ruft, schon lang ist Niemand ertrunken. Fort, s' ist nicht gut, es zu hören.

ERSTE PERSON: Uu jezt wieder. Wie ein Mensch der stirbt.

ZWEITE PERSON: Es ist unheimlich, so dunstig, allenthalb Nebel, grau und das Summen der Käfer wie gesprungne Glocken. Fort!

ERSTE PERSON: Nein, zu deutlich, zu laut. Da hinauf. Komm mit.

Das Wirthshaus

WOYZECK: Tanzt alle, immer zu, schwizt und stinkt, er holt euch doch einmal Alle.

Singt: Frau Wirthin hat 'ne brave Magd,
Sie sitzt im Garten Tag und Nacht,
Sie sitzt in ihrem Garten,
Bis daß das Glöcklein zwölfe schlägt,
Und paßt auf die Soldaten.

(Er tanzt.) So Käthe! setz dich! Ich hab heiß, heiß, *(er zieht den Rock aus)* es ist eimal so, der Teufel holt die eine und läßt die andre laufen. Käthe du bist heiß! Warum denn? Käthe du wirst auch noch kalt werden. Sey vernünftig. Kannst du nicht singen?

25

KÄTHE: Ins Schwabeland das mag ich nicht,
    Und lange Kleider trag ich nicht,
    Denn lange Kleider spitze Schuh,
    Die kommen keiner Dienstmagd zu.
5 WOYZECK: Nein, keine Schuh, man kann auch ohne
  Schuh in die Höll gehn.
KÄTHE *tanzt:* O pfui mein Schatz das war nicht fein.
    Behalt dei Thaler und schlaf allein.
WOYZECK: Ja wahrhaftig! ich möchte mich nicht blutig
10   machen.
KÄTHE: Aber was hast du an deiner Hand?
WOYZECK: Ich? Ich?
KÄTHE: Roth, Blut! *(Es stellen sich Leute um sie.)*
WOYZECK: Blut? Blut.
15 WIRTH: Uu Blut.
WOYZECK: Ich glaub ich hab' mich geschnitten, da an
  der rechten Hand.
WIRTH: Wie kommt's aber an den Ellenbogen?
WOYZECK: Ich hab's abgewischt.
20 WIRTH: Was mit der rechten Hand an den rechten Ellen-
  bogen? Ihr seyd geschickt.
NARR: Und da hat der Ries gesagt: ich riech, ich riech,
  ich riech Menschefleisch. Puh! Das stinkt schon.
WOYZECK: Teufel, was wollt ihr? Was geht's euch an?
25   Platz! oder der erste – Teufel! Meint ihr ich hätt Je-
  mand umgebracht? Bin ich Mörder? Was gafft ihr!
  Guckt euch selbst an! Platz da! *(Er läuft hinaus.)*

Abend
Die Stadt in der Ferne

30   WOYCECK *allein.*
Das Messer? Wo ist das Messer? Ich hab' es da gelas-
sen. Es verräth mich! Näher, noch näher! Was ist das
für ein Platz? Was hör ich? Es rührt sich was. Still.
Da in der Nähe. Marie? Ha Marie! Still. Alles still!
35 (Was bist du so bleich, Marie? Was hast du eine rothe
Schnur um den Hals? Bey wem hast du das Halsband
verdient, mit deinen Sünden? Du warst schwarz da-

26

von, schwarz! Hab ich dich jezt gebleicht. Was hänge
die schwarze Haar, so wild? Hast du die Zöpfe heut
nicht geflochten?) Da liegt was! kalt, naß, stille. Weg
von dem Platz. Das Messer, das Messer, hab ich's?
So! Leute. – Dort. *(Er läuft weg.)*   5

Woyzeck an einem Teich

So da hinunter! *(Er wirft das Messer hinein.)* Es taucht
in das dunkle Wasser, wie ein Stein! Der Mond ist
wie ein blutig Eisen! Will denn die ganze Welt es
ausplaudern? Nein es liegt zu weit vorn, wenn sie   10
sich baden, *(er geht in den Teich und wirft weit)* so jezt
– aber im Sommer, wenn sie tauchen nach Muscheln,
bah es wird rostig. Wer kann's erkennen – hätt' ich es
zerbrochen! Bin ich noch blutig? ich muß mich wa-
schen. Da ein Fleck und da noch einer.   15

Straße

KINDER.
ERSTES KIND: Fort! Mariechen!
ZWEITES KIND: Was is?
ERSTES KIND: Weißt du's nit? Sie sind schon alle hinaus.   20
 Drauß liegt eine!
ZWEITES KIND: Wo?
ERSTES KIND: Links über die Lochschanz in dem Wäld-
che, am rothen Kreuz.
ZWEITES KIND: Fort, daß wir noch was sehen. Sie tra-   25
gen's sonst hinein.

Gerichtsdiener. Arzt. Richter

GERICHTSDIENER: Ein guter Mord, ein ächter Mord, ein
 schöner Mord, so schön als man ihn nur verlangen
 thun kann, wir haben schon lange so kein gehabt.   30

Der Idiot. Das Kind. Woyzeck

KARL *hält das Kind vor sich auf dem Schooß:* Der is in's
Wasser gefallen, der is in's Wasser gefalln, wie, der is
in's Wasser gefalln.

5 WOYZECK: Bub, Christian.

KARL *sieht ihn starr an:* Der is in's Wasser gefalln.

WOYZECK *will das Kind liebkosen, es wendet sich weg
und schreit.* Herrgott!

KARL: Der is in's Wasser gefalln.

10 WOYZECK: Christianche, du bekommst en Reuter, sa, sa.
(Das Kind wehrt sich. Zu Karl.) Da kauf dem Bub en
Reuter.

KARL *sieht ihn starr an.*

WOYZECK: Hop! hop! Roß.

15 KARL *jauchzend:* Hop! hop! Roß! Roß! *Läuft mit dem
Kind weg.*

MATERIALIEN

Inhaltsverzeichnis

Einleitung

1. Interpretatorische Vorüberlegungen
1.1 Die folgende Textauswahl geht von der Voraussetzung aus, daß Literatur im engeren, d. h. im ästheti-
schen Sinne eine Art von Wirklichkeitsverarbeitung
darstellt, die mit den Mitteln überlieferter und neuer
Formen eine eigene, ästhetische Wirklichkeit schafft.
Das bedeutet eine doppelte methodische Abgrenzung:
Das einzelne literarische Werk ist nach einer solchen
Auffassung weder immanent als ein Zeugnis der Gei-
stes- und Formgeschichte noch vulgärsoziologisch als
sozialhistorisches Dokument richtig erfaßt.
1.2 Literaturwissenschaftlich wie literaturdidaktisch besteht damit das zentrale Problem darin, die Vermitt-
lungsprozesse zwischen der vom Autor erfahrenen und
der von ihm literarisch verarbeiteten Wirklichkeit ein-
sehbar zu machen. Form und Inhalt sind demnach nicht
von der Realität abgelöste literaturwissenschaftliche
Kategorien. Sie verweisen einerseits auf Realität und ihre Erfahrung, andererseits auf jeweils historisch »bereit-
stehende« Gestaltungsmittel.
1.3 ». . . es handelt sich ja nicht darum, die Werke des
Schrifttums im Zusammenhang ihrer Zeit darzustellen,
sondern in der Zeit, da sie entstanden, die Zeit, die sie
erkennt – das ist die unsere – zur Darstellung zu bringen. Damit wird die Literatur ein Organon der
Geschichte, und sie dazu – nicht das Schrifttum zum
Stoffgebiet der Historie zu machen, ist die Aufgabe der
Literaturgeschichte.« (Walter Benjamin: Literaturgeschichte und Literaturwissenschaft (1931). In W. B.: Der
Stratege im Literaturkampf. Suhrkamp Verlag, Frankfurt a. M. 1972, S. 14.)

2. Zu den Materialien

Die Anordnung der Materialien vermittelt einen Interpretationsprozeß, der von der Hypothesenbildung aufgrund der kontroversen Interpretationsansätze (Kapitel I) über deren immanente und werkexterne Überprüfung zur Aktualisierung (Kapitel IV) führt. Diese steht am Schluß, weil sie das komplexe Textverstehen voraussetzt, wenn sie mehr sein will als dem Werk äußerlich bleibende Motivation.

2.1 In Kapitel II geht es um die Aufhellung der literarischen Methode Büchners. Aus dem Clarus-Gutachten wurden solche Stellen ausgewählt, an denen am prägnantesten zu zeigen ist, wie Büchner mit der historischen Vorlage und ihrer gerichtsmedizinischen Dokumentation verfährt:

a) Nichtübernahme des moralisierenden, zur Zementierung der herrschenden Moral dienenden Urteils,

b) Nichtübernahme des empiristischen, »statistischen« Vorgehens,

c) empirisches Vorgehen Büchners. Herstellung eines sozialpsychologischen Sinnzusammenhangs durch Auswahl der entsprechenden Daten.

In der Einleitung zu Büchners naturwissenschaftlicher Vorlesung und dem Kunstgespräch entspricht der Differenzierung zwischen a) und c) die Unterscheidung von teleologisch/idealistisch und philosophisch/realistisch. (Hierzu können weiterhin herangezogen werden: ›Dantons Tod‹, 2. Akt, Ein Zimmer; ›Leonce und Lena‹, 2. Akt, 1. Szene, und 3. Akt, 1. Szene; Brief an die Familie vom 28. Juli 1835.)

Eine abweichende Deutung der Methode bietet der abschließende Kästner-Text.

Die Realisierung dieser Methode im Drama ist zu untersuchen (Prinzip des Ganzen im einzelnen).

2.2 Kapitel III versucht, zwei Ebenen zu kombinieren: inhaltlich die realgeschichtliche, die einer Analyse der dramenimmanenten Sozialstruktur (Soziogramm, »Sozialcharakteristiken«, soziale Einschätzung der Personen) zuzuordnen wäre; interpretationsmethodisch die

Ebene der literarischen Vermittlung dieser realge-
schichtlichen Zusammenhänge.

3. Weitere Vorschläge zur Interpretation
Ausgehend von den Materialien, ergeben sich über die
vorgeschlagene Textsequenz hinaus:

a) Immanente Interpretation nach Kapitel I (etwa anhand der Volksformen Lied, Märchen),

b) Realismusdiskussion (exemplarisch anhand von Na-
turalismusdefinitionen und Brechts oder Seghers Kon-
zeptionen),

c) Längsschnitte zu einzelnen Formen (z. B. Liedeinla-
gen im Drama),

d) literaturgeschichtliche Einfluß- und Wirkungsanaly-
sen (z. B. Shakespeare, Lenz, Junges Deutschland,
Hauptmann, Wedekind, Expressionismus),

e) im Anschluß an Kapitel II inhaltliche Analyse der
Form und Formmerkmale des offenen Dramas.

I. Urteile zum Werk —
Interpretationsansätze

1. Josef Nadler: [Woyzeck 1938]

[...] In dem Briefe an Gutzkow hatte es geheißen, man
müsse die abgelebte moderne Gesellschaft zum Teufel 5
gehn lassen und die Bildung eines neuen geistigen Lebens im Volke suchen. ›Woyzek‹, da ist ein solcher
Volkskeim, der hinauf will. Man geht vom Anbeginn
fehl, wenn man in dem Wehrmann und Füsilier Johann
Frank Woyzek einen Unterdrückten sieht. Das ist er 10
nur, insofern er unter den Begriff »arme Leute« fällt. Im
Gegenteil, Hauptmann und Regimentsarzt behandeln
ihn gut, mit einer Art wohlwollender Vertraulichkeit.
Denn in diesem Soldaten steckt etwas Besseres. Er ist
ein guter Mensch und hat Familiensinn. Er spart für sei- 15
ne ungetraute Frau und sein Kind. Er hilft mit kleinen
Diensten dem Regimentsarzt bei absonderlichen For-
schungen und dient ihm, widerwillig genug, um der
kleinen Familie willen als Versuchsgegenstand. Er
macht sich, mit Anschauung und Sprachausdruck rin- 20
gend, Gedanken über die Welt. In seinem ganzen Um-
kreis ist er der geistig Bedeutendste. Es müßte ihm glük-
ken, Groschen um Groschen sich emporzuarbeiten, damit dann sein Kind den Sprung hinüber tun könnte.
Woran liegt es also? An den Lumpen, die er zu seines- 25
gleichen hat. Durch tausend tägliche Tragödien zerstört
die Masse selber am eigenen Organismus die Keime eines besseren Selbst. [...]

Josef Nadler: Literaturgeschichte des deutschen Volkes. Dich-
tung und Schrifttum der deutschen Stämme und Landschaften. 30
Band 3. 4., völlig neu bearbeitete Auflage. Propyläen Verlag,
Berlin 1938, S. 225 f. Ausschnitt.

2. Hans Mayer: [Zur Determinismusfrage]

(1946)

[. . .] Letztlich – und das ist das Entscheidende – geht es im ‚Woyzeck‹ wie zuvor im ›Landboten‹ und im ›Danton‹ um die stets gleiche Frage: um die Abhängigkeit menschlicher Existenz von Umständen, die »außer uns liegen,« [. . .] die Frage nach Freiheit oder Vorherbestimmtheit menschlicher Willensentscheidungen, nach der Möglichkeit oder auch nur Sinnhaftigkeit, durch Handeln und Planen in den Geschichtsablauf und den Verlauf des Einzellebens eingreifen zu können. Büchner schwankt zwischen Wunsch und Hoffnung zur Freiheit und Durchdrungensein von der Gebundenheit. [. . .]

Wieder [. . .] steht die gleiche Frage über dem Drama vom Mörder Franz Woyzeck, der seine Geliebte erstach. Wieder ist gefragt, im nackten Handeln des einzelnen, jenseits aller kollektiven Aktion: »Was ist das, was in uns lügt, hurt, stiehlt und mordet?« Neben der gesellschaftlichen Determiniertheit der politischen Agitation, neben der ursächlichen Bestimmtheit und inneren Gebundenheit ganzer Geschichtsepochen steht die Gebundenheit der individuellen Tat, des Verbrechens.

[. . .] Was treibt Woyzeck ins Verbrechen?, so wird hier gefragt. Die mögliche Antwort des Psychiaters: der Wahnsinn, kann nicht gelten; sie löst nur die neue und tiefere Frage aus: und was treibt diesen Menschen Woyzeck in die Verstrickung und Umnachtung des Geistes? Mit aller Schonungslosigkeit und Helligkeit aber antwortet das Drama, indem sein Held die Antwort gleichsam vorlebt: die Armut, die »Umstände« seines materiellen Lebens treiben jenen Woyzeck in die Umdüsterung, in die Auflösung seiner Bindung zur Umwelt, ins Verbrechen. [. . .]

Hier erscheinen [. . .] die Redenden und Handelnden durchaus gebunden durch ihre Funktionen und Stellungen in der gesellschaftlichen Hierarchie; ihre Moral ist eine solche bestimmter sozialer Gruppen; ihr Denken bestimmt durch ihr gesellschaftliches Sein; ihre Beziehungslosigkeit enthüllt die Unüberbrückbarkeit getrennter sozialer Gruppen, herrschender und unterdrückter. [...]

Hans Mayer: Georg Büchner und seine Zeit. Neue, erweiterte Ausgabe: Limes Verlag, Wiesbaden 1960, S. 321–338; [1]1946. Zitiert nach: H. M.: Woyzeck. In: Wolfgang Martens (Hrsg.): Georg Büchner. Wege der Forschung, Band L III. Wissenschaftliche Buchgesellschaft, Darmstadt 1969, S. 232 ff. Ausschnitte.

3. Kurt May: [Tragischer Held?]

(1950)
[...] Wohl verfällt er dem tragischen Nexus der Fatalität im Zusammenstoß von Innen und Außen, aber er begründet durch sein Schicksal im Ansatz die Möglichkeit zu einer Überwindung von innen her. Im Woyzeck wird Menschenwert vernichtet, aber so, daß der Menschenwert heller aufleuchtet im Prozeß der Vernichtung. Woyzeck hat die Würde eines großen Leidenden. Er repräsentiert ein stellvertretendes Leiden für die unzähligen seinesgleichen allerorts und zu allen Zeiten zusammen mit dem Schicksal eines leidenden Menschen eines bestimmten Zeitalters unter geschichtlich bestimmten sozialen Lebensbedingungen. Das macht seine besondere und allgemein-menschlich dramatische Bedeutsamkeit aus und prädestiniert ihn zum tragischen Helden von einem besonderen, freilich ungewöhnlichen Typus. Gerade seine Armut verherrlicht den Reichtum seines großen und reinen Gefühls. [...]
[...] Woyzeck mit seinem Leben und Sterben bis hinein in die Augenblicke seiner letzten Verirrung und Verwirrung bezeugt, daß es in dieser verrotteten, lieblos gewordenen Welt noch Menschen gibt, daß es die Kraft der Liebe noch gibt, die den Menschen bis zum äußersten bringt, bis zur Vernichtung des Liebsten und seiner selbst. [...]

Kurt May: Büchners ›Woyzeck‹. In: Form und Bedeutung. Inter-

pretationen deutscher Dichtung des 18. und 19. Jahrhunderts. Ernst Klett Verlag, Stuttgart 1957, S. 270 f. Ausschnitte. Zuerst in: Die Sammlung, Bd. 5 (1950), S. 19–26.

4. Ronald Peacock:
[Wer trägt die Schuld am Mord?]

(1956/57)

[. . .] Woyzeck ist ein einfacher Mann aus dem Volk, der in Armut und Unwissenheit lebt, ohne irgendeine Spur oder Möglichkeit kultivierter Lebensweise, beherrscht von den elementarsten Bedürfnissen und Empfindungen seiner Natur, das Werkzeug seiner Vorgesetzten, seinem Rivalen körperlich unterlegen, hilflos in seiner Liebe und in seinem Leiden. Er gibt ein lebendiges Bild des von der Gesellschaft ausgestoßenen Menschen. Von Natur aus ist der Mensch nur teilweise ein Tier; er wird es in viel stärkerem Maße, wenn man ihn in Armut und Knechtschaft hält. Wenn Woyzeck einen Mord begeht, dann ist dies zum Teil ein Versagen der menschlichen Natur, insofern diese tierisch-wild bleibt, zum Teil aber auch ein Versagen der Gesellschaft, wenn diese nicht tut, was in ihren Kräften steht, um ihre Mitglieder zu wahren Menschen zu machen. [. . .]

Ronald Peacock: A note on Georg Büchner's Plays. In: German Life and Letters 10 (1956/57), S. 189–197. Zitiert nach R. P.: Eine Bemerkung zu den Dramen Georg Büchners. In: Wolfgang Martens (Hrsg.), s. o., S. 365 f. Ausschnitt.

5. Helmut Krapp: [Kompositionsprinzipien]

(1958)

[. . .] Es wurde innerhalb der bisherigen Bemerkungen mehrfach zu zeigen versucht, daß es in Büchners Dramen eine Fabel, die den Kausalzusammenhang des Gesamtinhalts vom Anfang zum Ende festlegte, nicht gibt. Die Spannung des Geschehens ereignete sich viel

weniger in der großräumigen Szenengruppierung als im kleinen Szenenpartikel. Mit dem daraus resultierenden Primat des szenischen Augenblicks (vgl. auch das Moment des Unüberlegten in der dramatischen Sprache) wiederum zerfiel die große Szeneneinheit, welcher 5 Form die Diskontinuität des Textes bis in seine kleinsten Elemente entsprach. Das Zeitkontinuum aber, zu dem sich die ausdrucksstarken Augenblicke doch scheinbar zusammenfügen, erstarrt zu einer bloßen Summation von szenischen Momenten, die in sich thematisch vollendet und geschlossen sind. Hinsichtlich des ›Woyzeck‹, wo gegenüber dem ›Danton‹ die kleinsten Zellen an Selbstwert noch gewonnen haben (das isolierte Wort), kommt das Statuarische der Szene, viel stärker noch als dort, als eine zweite Möglichkeit der 15 Formulierung auf der Bühne hinzu. Das Statuarische jedoch entzieht sich völlig der Kategorie der Zeit und ordnet sich nur noch im Raume an. Als statuarisch im weitesten Sinne wären auch bezüglich ihres Sprachcharakters jene Redestücke aufzufassen, die in der zuletzt 20 interpretierten Szene beschrieben wurden. Diese Redeteile organisieren sich nicht in der Zeit. Es sind Requisiten der Sprache gleichsam, Versatzstücke, die dem perpetuierlichen Charakter der Zeit widerstreben.
Die Szene ›Idiot, Kind, Woyzeck‹ ist Beleg dafür. [. . .] 25

Helmut Krapp: Der Dialog bei Georg Büchner. Carl Hanser Verlag, München 1958, S. 90. Ausschnitt.

6. Hans Jürgen Geerdts:
[Büchners Volksauffassung]

(1963) 30
[. . .] Der gräßliche »Fatalismus der Geschichte«, wie Büchner sagt, ist ihm nicht mit platt-optimistischen, illusionären, idealistisch-epigonenhaften Redensarten hinwegzudisputieren. Als zwingend, was die philosophische Grundhaltung des Dichters anbetrifft, erweist 35

sich für uns die Einsicht, daß auch im ›Woyzeck‹ die Veränderbarkeit der Welt prinzipiell in Frage gestellt wird. Aber auch hier kann von »Nihilismus« nicht die Rede sein, auch hier ist es das Volksmäßige, das Volks-
5 poetische der Darstellung, das alle gehaltlich-intellektuelle Skepsis korrigiert.

[. . .] Natürlich, die neue dramatische Zentralgestalt, der geschundene, leidende, zerstörte Woyzeck kann die aktive Kraft der Volksmassen noch nicht verkörpern –
10 erst im Werk Georg Weerths, des ersten Dichters des deutschen Proletariats, wird der seiner Kraft bewußte, ausgebeutete Vertreter der Volksmassen künstlerisch gestaltet. Doch ist die Empörung, der elementare Protest des Unterdrückten eine gewaltige Anklage gegen
15 die herrschende feudale und bürgerliche Moral. Diese Empörung ist künstlerisch so verallgemeinert worden, daß sie alles an Rebellion einschließt, was zur Zeit Büchners von den Volksmassen ausging. Gerade deshalb, weil der Dichter seine Gestalt durch die Analyse
20 des Kriminalfalles so stark und kühn individualisierte, gelang es ihm, diese Verallgemeinerung zu treffen.

[. . .] Woyzeck ist eine Volksfigur, die tatsächlich die plebejischen Schichten nicht nur repräsentiert, sondern sie typisierend zur Anschauung bringt. Daß er zu einer
25 Zeit, da es noch keine formierte Arbeiterklasse in Deutschland gab, plebejisch auf die Unterdrückung reagierte, daß er die Tat, die er an Marie vollbringt, gleichzeitig gegen die soziale Schicht unternimmt, der er selber angehört, ist doch in mehr als einer Beziehung in
30 der künstlerischen Gestaltung aufschlußreich und typisch zugleich. Büchner zerstört nämlich einerseits die Illusion einer Idylle des Volkslebens, während er andererseits darum ringt, mit elegischen Tendenzen die von ihm empfundene und entworfene Unzerstörbarkeit und
35 Integrität der Volksmassen anschaulich zu machen. Das Volk bewegt sich auf der Bühne nämlich anders als die Vertreter der Ausbeuterklassen.

[. . .] Auch hier die durchaus nicht zufällige, sondern bei aller Lockerheit und Zwanglosigkeit sorgsam berechne-

te Einordnung der Volksliedstrophen in der Dramen-
struktur, die stets einen Hinweis auf die jeweilige Situation vermitteln. Wenn Marie z. B. in ihrer Kammer das
Lied vom »Zigeunerbu« singt, so wird damit bildhaft-
lakonisch ihre Sehnsucht nach dem »Ausbrechen« aus 5
ihrer Armseligkeit angedeutet; wenn beim Wirtshaus
das Lied vom »Jäger aus der Pfalz« erklingt, dann ironi-
siert es die Konstellation, die sich daraus ergibt, daß
Woyzeck dem vorübertanzenden Paar Marie und Tambourmajor zuschaut. Das sind Einzelheiten; aber sie be- 10
weisen allesamt, daß Büchner an die Potenzen glaubte,
die im Schoße des Volkes ruhten. [...]

Hans Jürgen Geerdts: Georg Büchners Volksauffassung. Zum
150. Geburtstag des Dichters am 17. Oktober 1963. In: Weima-
rer Beiträge 9 (1963), S. 642–649. Zitiert nach: Dietmar Goltsch- 15
nigg (Hrsg.): Materialien zur Rezeptions- und Wirkungsge-
schichte Georg Büchners. Scriptor Verlag, Kronberg 1974,
S. 401 ff. Ausschnitte.

7. Gerhard Jancke: [Die Frage der Identität]

(1975) 20
[...] Man hat oft betont, daß sich Büchners Werk zu
keiner Einheit zusammenfassen lasse. In der Tat sind
die Probleme Büchners vielgestaltig, und seine Antworten scheinen oft paradox zu sein. Am ehesten hat man
noch das Determinismusproblem als das Zentrum sei- 25
ner Anschauungen gesehen. Es scheint uns, daß sich
Büchners Werk und seine Einheit von dem Begriff der
Identität am besten erschließen läßt. [...]
Die Gegenwärtigkeit Büchners beruht auf der Tatsache,
daß er in der Novelle ›Lenz‹ und in dem Drama ›Woy- 30
zeck‹ gezeigt hat, wie die Strukturen der Gesellschaft die
Realität zerstören, tief in die Kommunikationsstruktu-
ren einwirken und den Menschen aus der schwachen
Festung seiner Identität herauswerfen: »Die gesell-
schaftlichen Verhältnisse, die von der Kultur in der 35
Form von Konkurrenz, Ausbeutung, Gruppenrivalität

oder Klassenkampf bestimmt werden, bieten dem Menschen eine von Widersprüchen unablässig verstörte Erfahrung seiner Umwelt. Das System der ökonomischen Verhältnisse verbindet ihn mit den anderen – aber nur
5 durch die negative Bindung der Abhängigkeit; die Gesetze der Koexistenz, die ihn mit seinesgleichen in ein und demselben Schicksal vereinen, bringen ihn auch in Gegensatz zu ihnen – in einem Kampf, der paradoxerweise nur die dialektische Form dieser Gesetze ist; die
10 Universalität der ökonomischen und sozialen Bindungen läßt ihn die Welt als Vaterland erkennen und eine gemeinsame Bedeutung im Blick jedes Menschen ablesen, aber diese Bedeutung kann ebensogut die einer Gegnerschaft sein, und dieses Vaterland kann ihn als
15 Fremden bloßstellen« (Michel Foucault: Psychologie und Geisteskrankheit. Frankfurt a. M. 1968, S. 125/26). Wenn Büchner die Erfahrung der Facies hippocratia[1] der Welt machte, wenn er selber die Stummheit und Taubheit der Menschen empfand und sich als seelenlo-
20 sen Automaten erlebte, so schränkt diese Erfahrung seine Gesellschaftsanalyse nicht ein, sondern bestätigt sie.

Gerhard Jancke: Georg Büchner. Genese und Aktualität seines Werkes. Scriptor Verlag, Kronberg 1975, S. 286 und 291 f. Ausschnitte.

25 # 8. Peter Iden: [Zwei ›Woyzeck‹-Versionen]

(1976)
[. . .] Ein doppelter ›Woyzeck‹: Aus den vier handschriftlich überlieferten Fragmenten von Büchners Stück haben der Stuttgarter Regisseur Kirchner und die Drama-
30 turgen Beil und Flügge zwei Fassungen zusammengestellt – die eine Szenengruppe betont das Eifersuchtsmotiv, also den Innendruck, unter dem Woyzeck steht und durch den er zu dem Mord an Marie getrieben

---

(1) * Symptome des Sterbens, die sich am Gesicht (facies) ablesen lassen.

wird; der zweite Teil beschreibt mehr den Außendruck, die Abrichtung Woyzecks durch seine soziale Umgebung. [. . .]

Ein bloß philologisches Konzept? Nein. Die Spannung, in die der Abend versetzt, rührt gerade daher, daß die Trennlinie zwischen den beiden Versionen in der Darstellung immer wieder auch durchbrochen und überspielt wird. Die Zweiteilung macht erst richtig deutlich, wie die Motive und Handlungsstränge sich aufeinanderzubewegen, ja: wie sie zusammengehören. [. . .]

Der Ausgang ist schließlich offen. Der erste Teil hatte damit geendet, daß die Leiche der Marie vor dem Barbier wie zur Obduktion aufgebahrt lag, »ein guter Mord, ein echter Mord . . .«, der zweite Abschnitt schließt mit dem Abschied Woyzecks von Andres, der Mord an Marie könnte folgen, aber auch ein Selbstmord. – Zwei Varianten einer Tragödie. In Stuttgart wird sie zerlegt, analysiert. Das Theater inszeniert sein Verhältnis zu einem Stoff. Mit den Antworten, die es gibt, stellt es auch Fragen. Das heißt: Es schärft das Bewußtsein für Widersprüche. Eine notwendige Arbeit.

Peter Iden: [Rezension der Stuttgarter ›Woyzeck‹-Aufführung].
Frankfurter Rundschau Nr. 70, 23. 3. 1976. Ausschnitte.

II. Über den Zusammenhang zwischen literarischer und naturwissenschaftlicher Methode Büchners

Die Voraussetzungen, mit denen wir beginnen, sind keine
5 willkürlichen, keine Dogmen, es sind wirkliche Voraussetzungen, von denen man nur in der Einbildung abstrahieren kann.
Es sind die wirklichen Individuen, ihre Aktion und ihre materiellen Lebensbedingungen, sowohl die vorgefundenen wie die
durch ihre eigne Aktion erzeugten. Diese Voraussetzungen
10 sind also auf rein empirischem Wege konstatierbar.

(Karl Marx/Friedrich Engels: Die deutsche Ideologie. MEW 3.
Dietz Verlag, Berlin (DDR), S. 20, Ausschnitt.)

1. [Gutachten des Hofrats Clarus zum Mordfall Woyzeck]

15 *(1824)*
Am 21. Juni 1821 ermordete der Barbier Johann Christian Woyzeck seine Geliebte, die Woostin. Auf Drängen der Öffentlichkeit wurden über den Geisteszustand
des zum Tode Verurteilten zwei Gutachten von Hofrat
20 Dr. Clarus angefertigt, die Büchner vorgelegen haben.

a) [Aus der Vorrede]
Mögen [. . .] alle, welche den Unglücklichen zum Tode
begleiten, oder Zeugen desselben seyn werden, das Mitgefühl, welches der Verbrecher als Mensch verdient, mit
25 der Ueberzeugung verbinden, daß das Gesetz, zur Ordnung des Ganzen, auch gehandhabt werden müsse, und
daß die Gerechtigkeit, die das Schwerdt nicht umsonst
trägt, *Gottes* Dienerin ist. – Mögen Lehrer und Prediger, und alle Diejenigen, welche über Anstalten des öf-
30 fentlichen Unterrichts wachen, ihres hohen Berufs eingedenk, nie vergessen, daß von ihnen eine bessere Gesittung und eine Zeit ausgehen muß, in der es der Weis-

heit der Regierungen und Gesetzgeber möglich seyn wird, die Strafen noch mehr zu mildern, als es bereits geschehen ist. – Möge die heranwachsende Jugend bei dem Anblicke des blutenden Verbrechers, oder bei dem Gedanken an ihn, sich tief die Wahrheit einprägen, daß Arbeitsscheu, Spiel, Trunkenheit, ungesetzmäßige Befriedigung der Geschlechtslust, und schlechte Gesellschaft, ungeahnet und allmählich zu Verbrechen und zum Blutgerüste führen können. – Mögen endlich alle, mit dem festen Entschlusse, von dieser schauerlichen Handlung zurückkehren: Besser zu *seyn,* damit es besser *werde.*

Leipzig den 16. August 1824.   Clarus

b) Beobachtungen, welche sich unmittelbar aus der Untersuchung des körperlichen und geistigen Zustandes des Inquisiten, und unabhängig von dessen eigenen Aeusserungen, ergeben haben.

Der Inquisit hat das Ansehen eines Mannes von 40 Jahren und ist von mittler Statur, kräftigem, gedrungnem und völlig regelmäßigen Körperbau, mittelmäßig genährt und von ziemlich starkem Bart und Haarwuchs. Der Kopf steht in richtigem Verhältniß zu dem übrigen Körper und ist von keiner ungewöhnlichen Form auch ohne Narben und andere Spuren erlittener Gewaltthätigkeiten. Während der ersten Minuten, nachdem er vorgeführt worden war, zitterte er gemeiniglich am ganzen Körper, so daß er selbst den Kopf nicht still zu halten vermögend war, und sein Puls- und Herzschlag war in diesem Zustande sehr beschleunigt und verstärkt, sobald er sich aber etwas beruhigt hatte, ließ das Zittern nach, und ich fand Puls- und Herzschlag natürlich, ingleichen das Athemholen frei und gleichförmig. Man bemerkt keinen üblen Geruch aus dem Munde, die Zunge ist ohne Beleg, [...]

[...] Sein Auge ist nicht sonderlich belebt, aber von natürlichem Glanz und sein Blick fest, ernst, ruhig, und besonnen, keinesweges wild, frech, verstört, unstät oder zerstreut, aber auch eben so wenig traurig, niederge-

43

schlagen, verlegen, gedankenlos oder erloschen. Das
Gesicht ist blaß aber nicht eingefallen, die Lippen roth,
die Züge ziemlich tief gefurcht, aber weder ungewöhn-
lich gespannt, noch erschlafft. Seine Miene hat nichts
5 Tückisches, Lauerndes, Abstossendes oder Zurück-
schreckendes und kündigt weder Furcht und Kummer,
noch Unwillen und verhaltenen Zorn, überhaupt nichts
Leidenschaftliches an [. . .].
  [. . .] Seine Sprache ist stark und vernehmlich, auch
10 gehörig articulirt und betont, nicht affecuirt, nicht pol-
ternd oder schleppend, seine Art sich auszudrücken
kurz, bestimmt, treffend, ohne Abschweifungen und
Wiederholungen. In seinen Reden und Antworten zeigt
er ohne alle Ausnahme Aufmerksamtkeit, Besonnen-
15 heit, Ueberlegung, schnelles Auffassen, richtiges Urtheil
und treues Gedächtniß. Der Verstand, dessen Anlagen
zwar nicht ausgezeichnet, aber doch mehr als mittelmäßig zu nennen sind, erscheint weniger durch Erziehung
und Unterricht ausgebildet, als durch mannichfaltige
20 Schicksale, Aufenthalt in verschiedenen Ländern,
Kriegsdienste, Gefahren und Mühseligkeiten geübt,
gereift und zu einer praktischen Sicherheit gediehen.
Seine Begriffe von den Gegenständen und Begebenhei-
ten, die er gesehen und erfahren hat, sind seinem Stande
25 und seiner Erziehung vollkommen angemessen, zeugen
von ruhiger, mit freyem, unbefangenem Sinne ange-
stellter Beobachtung, und sind eben so weit entfernt von
exaltirter Verkehrtheit als von stumpfer Verworrenheit.
[. . .]

30 c) [Untersuchungsmethode]
Dieses vorausgesetzt erinnere ich:
  [. . .] daß Unmuth, Unzufriedenheit mit sich selbst, Arg-
wohn, Mißtrauen und Bitterkeit gegen andere, Reizbar-
keit zum Ausbruche eines ungerechten Zorns auf leichte
35 Veranlaßungen u. s. w. bei Personen, die an Blutbe-
schwerungen, Hypochondrie, Hämorrhoiden und dergl.
leiden, ärztlicher Erfahrung zufolge, viel zu häufige Erscheinungen sind, um in ihnen eine unvermeidliche

Nothwendigkeit und einen blinden instinktartigen
Trieb zu verbrecherischen Handlungen zu finden, da
Tausende von Menschen, bei gleicher Mißstimmung
sich in den gesetzlichen und moralischen Schranken zu
halten wissen. – Auf diese Mißstimmung bezieht sich 5
auch Woyzecks Aeußerung: es sey ihm gewesen, als
müsse er die Leute auf der Gasse mit den Köpfen an
einander stoßen. Nichts ist nämlich gewöhnlicher, als
Leute, die bei geringer Erziehung sich nicht gewöhnt
haben, ihre Leidenschaften zu mäßigen, die Ausdrücke 10
gebrauchen zu hören: es sey ihnen, als müßten sie mit
den Füßen darein springen, als sollten sie alles zerrei-
ßen, oder den ersten besten ausprügeln, der ihnen be-
gegnen würde. [. . .]

d) [Lebensumstände vor dem Mord] 15
In der letzten Zeit sey es ihm sehr übel ergangen, weil es
ihm öfters an Arbeit gefehlt habe und ihm selbst die
Versuche, als Handlanger bei den Maurern oder auf der
Ziegelscheune etwas zu verdienen, fehlgeschlagen sey-
en. Er sey daher, weil er kein Schlafgeld bezahlen kön- 20
nen, oft acht Tage lang des Nachts unter freiem Himmel geblieben, ohne sich jedoch, weil er das Bivouaki-
ren gewohnt sey, viel daraus zu machen, sey auch am
Tage mißmuthig und ohne zu wissen, was er anfangen
solle, im Felde und an den einsamsten Orten umherge- 25
strichen, bis ihn der Hunger dann und wann in die
Stadt getrieben habe, um sich von seinem Stiefvater
oder seinem Stiefbruder etwas zu essen geben zu lassen,
worauf er immer wieder aufs Feld zurückgekehrt sey.
Unterstützungen und Almosen habe er unter andern 30
von Herrn Förster auf der Grabengasse und von Herrn
Lacarriere erhalten, [. . .]

e) [Woyzecks Verhältnis zur Woostin]
Sein Umgang mit der Woostin schreibe sich von der
Zeit her, wo er bei ihrer Mutter gewohnt habe, und es 35
sey, obgleich ein ausdrückliches Versprechen nicht Statt
gefunden, dennoch ihr beiderseitiger Wille gewesen,

sich zu ehelichen, wozu es aber, weil es mit ihm immer nicht fort gewollt habe, nicht gekommen sey. Unterstützungen habe er von der Woostin nicht erhalten, weil sie selbst nicht viel gehabt habe, und der fleischliche Um-
5 gang mit ihr sey dadurch, daß sie sich seit einiger Zeit auch mit einem andern eingelassen, obwohl es deshalb zwischen ihnen zu Streitigkeiten und Thätlichkeiten gekommen sey, dennoch nicht unterblieben, da sie ihm nicht nur den Beyschlaf niemals verweigert, sondern
10 ihn sogar oftmals deshalb bestellt habe. [...]

f) [Woyzecks Verhältnis zur Wienbergin]
[...] Ausführlicher [...] gibt er bei seinen neuen Vernehmungen an [zweites Gutachten; Hrsg.], daß er im Jahre 1810 Umgang mit einer ledigen Weibsperson, der *Wien-*
15 *bergin,* gehabt, mit dieser ein Kind gezeugt, während der Zeit, als er bei den Mecklenburgischen Truppen gestanden, auf die Nachricht, daß sich diese Person unterdessen mit andern abgebe, zuerst eine Veränderung in seinem Gemüthszustande bemerkt, dieserhalb sich
20 wieder zu den Schweden begeben und den frühern Umgang mit ihr fortgesetzt habe. Diese Veränderung habe sich dadurch geäussert, daß er ganz still geworden und von seinen Kameraden deßhalb oft vexirt worden sey, ohne sich ändern zu können, so daß er, ob er gleich sei-
25 ne Gedanken möglichst auf das zu richten gesucht, was er gerade vorgehabt, es nichts destoweniger verkehrt gemacht habe, weil ihm zuweilen auf halbe Stunden lang, oft auch nur kürzere Zeit, *die Gedanken vergangen seyen.* Mit dieser Gedankenlosigkeit habe sich später-
30 hin, in Stettin, ein Groll gegen einzelne Personen verbunden, so daß er, gegen alle Menschen überhaupt erbittert, sich von ihnen zurückgezogen habe und deßwegen oft ins Freie gelaufen sey. Ueberdieß habe er beunruhigende Träume von Freimaurern gehabt und sie mit
35 seinen Begegnissen in Beziehung gebracht. [...]

g) [Der Narr]

[. . .] Ueberhaupt habe sie [die Woostin; Hrsg.] ihn schon lange vorher für den Narren gehabt, ihm manchmal schnöde begegnet, ihm einmal, als er beleidigt von ihr gegangen, zum Fenster heraus nachgerufen: *Du kannst* 5 *abkommen,* und ihn überhaupt wegen seiner Armuth verachtet, dennoch aber sich manchmal wieder mit ihm abgegeben. [. . .]

h) [Woyzecks soziale und psychische Situation]

[. . .] Da er auch von den Officiers mancherlei unver- 10 diente Kränkungen habe erfahren müssen, und sich zugleich seiner beabsichtigten Heirath immer mehr Schwierigkeiten in den Weg gestellt hätten, so habe sich Groll, Bitterkeit und Mißtrauen gegen die Menschen überhaupt eingefunden. Er habe sich immer zwingen 15 müssen, freundlich gegen die Menschen zu seyn, und es sey ihm gewesen, als ob ihn alle für den Narren halten wollten. Daher sey er sehr empfindlich geworden, so daß ihn das Geringste habe aufbringen können. Bei geringeren Veranlaßungen zum Unwillen habe er am 20 ganzen Körper gezittert, aber dabei noch immer an sich halten können; bei stärkern Anreizungen aber sey ihm der Zorn in den Kopf und vor die Stirne gefahren, und habe ihn dergestalt überwältigt, daß er seiner nicht mehr mächtig gewesen. [. . .] 25

[. . .] Inzwischen habe ihn alles dieses nicht gehindert, alle seine Geschäfte ordentlich zu verrichten, und so habe er z. B. in diesem Zustand beim Regiment den Dienst eines Gefreiten, der ihm eigentlich nicht zugekommen, und wobei öfters zu schreiben gewesen, ohne Anstoß 30 versehen. Sein ganzes Unglück aber sey eigentlich gewesen, daß er die *Wienbergin* habe sitzen lassen, da ihm doch seine Officiers späterhin zu dem Trauschein hätten behülflich seyn wollen. Blos dadurch, daß er hierzu keine Anstalten gemacht, sey sein vorher guter Charakter 35 verbittert worden, weil es nun einmal vorbei gewesen sey, und er es nicht wieder habe gut machen können. Der Gedanke an sein Kind und an diese von ihm ver-

lassene Person sey ganz allein die Ursache seiner be-
ständigen Unruhe geworden, und daß er nie habe einig
mit sich selbst werden können. Späterhin habe er sich
auch Vorwürfe wegen seines Umgangs mit der Woostin
5 gemacht, da er doch eigentlich die Wienbergin habe hei-
rathen sollen. Er habe sich daher auch geärgert, wenn
die Leute von ihm gesagt hätten, daß er ein guter
Mensch sey, weil er gefühlt habe, daß er es nicht sey.
[. . .]

10 *Zitiert nach: Georg Büchner: Sämtliche Werke und Briefe. Historisch-kritische Ausgabe mit Kommentar, hrsg. von Werner
R. Lehmann, Band 1. Carl Hanser Verlag, ²1974, S. 490, 546 f.,
528 f., 543, 496, 515, 508 f. Ausschnitte.*

2. Georg Büchner: Über Schädelnerven

15 **Probevorlesung in Zürich 1836**

Hochgeachtete Zuhörer!
. . . Es treten uns auf dem Gebiete der physiologischen
und anatomischen Wissenschaften zwei sich gegenüber-
stehende Grundansichten entgegen, die sogar ein natio-
20 nelles Gepräge tragen, indem die eine in England und
Frankreich, die andere in Deutschland überwiegt. Die
erste betrachtet alle Erscheinungen des organischen Lebens vom *teleologischen* Standpunkt aus; sie findet die
Lösung des Rätsels in dem Zweck, der Wirkung, in dem
25 Nutzen der Verrichtung eines Organs. Sie kennt das Individuum nur als etwas, das einen Zweck außer sich er-
reichen soll, und nur in seiner Bestrebung, sich der Au-
ßenwelt gegenüber teils als Individuum, teils als Art zu
behaupten. [. . .]
30 Die teleologische Methode bewegt sich in einem ewigen
Zirkel, indem sie die Wirkungen der Organe als Zwecke
voraussetzt. Sie sagt zum Beispiel: Soll das Auge seine
Funktion versehen, so muß die Hornhaut feucht erhalten werden, und somit ist eine Tränendrüse nötig. Diese
35 ist also vorhanden, damit das Auge feucht erhalten wer-

de, und somit ist das Auftreten dieses Organs erklärt; es gibt nichts weiter zu fragen. Die entgegengesetzte Ansicht sagt dagegen: die Tränendrüse ist nicht da, damit das Auge feucht werde, sondern das Auge wird feucht, weil eine Tränendrüse da ist, oder, um ein anderes Beispiel zu geben, wir haben nicht Hände, damit wir greifen können, sondern wir greifen, weil wir Hände haben. Die größtmöglichste Zweckmäßigkeit ist das einzige Gesetz der teleologischen Methode; nun fragt man aber natürlich nach dem Zwecke dieses Zweckes, und so macht sie auch ebenso natürlich bei jeder Frage einen progressus in infinitum.

Die Natur handelt nicht nach Zwecken, sie reibt sich nicht in einer unendlichen Reihe von Zwecken auf, von denen der eine den anderen bedingt; sondern sie ist in allen ihren Äußerungen sich unmittelbar selbst genug. Alles, was ist, ist um seiner selbst willen da. Das Gesetz dieses Seins zu suchen, ist das Ziel der der teleologischen gegenüberstehenden Ansicht, die ich die *philosophische* nennen will. Alles, was für *jene* Zweck ist, wird für *diese* Wirkung. Wo die teleologische Schule mit ihrer Antwort fertig ist, fängt die Frage für die philosophische an. Diese Frage, die uns auf allen Punkten anredet, kann ihre Antwort nur in einem Grundgesetze für die gesamte Organisation finden, und so wird für die philosophische Methode das ganze körperliche Dasein des Individuums nicht zu seiner eigenen Erhaltung aufgebracht, sondern es wird die Manifestation eines Urgesetzes, eines Gesetzes der Schönheit, das nach den einfachsten Rissen und Linien die höchsten und reinsten Formen hervorbringt. [. . .]

Die Frage nach einem solchen Gesetze führte von selbst zu den Quellen der Erkenntnis, aus denen der Enthusiasmus des absoluten Wissens sich von je berauscht hat, der Anschauung des Mystikers und dem Dogmatismus der Vernunftphilosophen. Daß es bis jetzt gelungen sei, zwischen letzterem und dem Naturleben, das wir unmittelbar wahrnehmen, eine Brücke zu schlagen, muß die Kritik verneinen. Die Philosophie a priori sitzt noch in einer trostlosen Wüste; sie hat einen weiten Weg zwischen sich und dem frischen grünen Leben, und es ist eine große Frage, ob sie ihn je zurücklegen wird. [. . .]

5 *Georg Büchner: Werke und Briefe. Mit einem Nachwort von Fritz Bergemann. Deutscher Taschenbuch Verlag, München 1967, S. 145 f. Ausschnitte.*

3. Georg Büchner: [Kunstgespräch]

(1835/36)

10 Büchners Erzählung ›Lenz‹, aus der dieser Ausschnitt stammt, behandelt das Ende des dem Wahnsinn verfallenden Sturm- und-Drang-Dichters Michael Reinhold Lenz. Quellen hierfür waren Briefe von Lenz und das Tagebuch des Pfarrers Oberlin im Steintal, bei dem Lenz sich 1778 aufhielt. Dieser unterhält
15 sich hier mit seinem Freund Kaufmann, der ihn besucht, über Kunst.

Über Tisch war Lenz wieder in guter Stimmung: man sprach von Literatur, er war auf seinem Gebiete. Die idealistische Periode fing damals an; Kaufmann war ein
20 Anhänger davon, Lenz widersprach heftig. Er sagte: Die Dichter, von denen man sage, sie geben die Wirklichkeit, hätten auch keine Ahnung davon; doch seien sie immer noch erträglicher als die, welche die Wirklichkeit verklären wollten. Er sagte: Der liebe Gott hat die
25 Welt wohl gemacht, wie sie sein soll, und wir können wohl nicht was Besseres klecksen; unser einziges Bestreben soll sein, ihm ein wenig nachzuschaffen. Ich verlange in allem – Leben, Möglichkeit des Daseins, und dann ist's gut; wir haben dann nicht zu fragen, ob es
30 schön, ob es häßlich ist. Das Gefühl, daß, was geschaffen sei, Leben habe, stehe über diesen beiden und sei das einzige Kriterium in Kunstsachen. Übrigens begegne es uns nur selten: in Shakespeare finden wir es, und in den Volksliedern tönt es einem ganz, in Goethe
35 manchmal entgegen; alles übrige kann man ins Feuer werfen. Die Leute können auch keinen Hundsstall

zeichnen. Da wollte man idealistische Gestalten, aber alles, was ich davon gesehen, sind Holzpuppen. Dieser Idealismus ist die schmählichste Verachtung der menschlichen Natur. Man versuche es einmal und senke sich in das Leben des Geringsten und gebe es wieder in 5 den Zuckungen, den Andeutungen, dem ganzen feinen, kaum bemerkten Mienenspiel; er hätte dergleichen versucht im ›Hofmeister‹ und den ›Soldaten‹. Es sind die prosaischsten Menschen unter der Sonne; aber die Gefühlsader ist in fast allen Menschen gleich, nur ist die 10 Hülle mehr oder weniger dicht, durch die sie brechen muß. Man muß nur Aug und Ohren dafür haben. [. . .] [. . .] Man muß die Menschheit lieben, um in das eigentümliche Wesen jedes einzudringen; es darf einem keiner zu gering, keiner zu häßlich sein, erst dann kann 15 man sie verstehen; das unbedeutendste Gesicht macht einen tiefern Eindruck als die bloße Empfindung des Schönen, und man kann die Gestalten aus sich heraustreten lassen, ohne etwas vom Äußern hinein zu kopieren, wo einem kein Leben, keine Muskeln, kein Puls 20 entgegenschwillt und pocht. [. . .] *Der* Dichter und Bildende ist mir der liebste, der mir die Natur am wirklichsten gibt, so daß ich über seinem Gebild fühle; alles übrige stört mich. [. . .]

Georg Büchner: Lenz. In: Werke und Briefe, s. o., S. 71–73. 25 *Ausschnitte.*

4. Erich Kästner: [Realismus]

(1972)
[. . .] Büchners »Realismus« ist eine nebenberufliche Begleiterscheinung und soll weder bestritten noch unter- 30 schätzt werden. Aber sein künstlerischer Wille strebte – das beweisen die Szenen mit dem Hauptmann und dem Doktor, wie auch die Großmutter mit ihrem makabren Märchen – in die völlig entgegengesetzte Richtung, in das seinerzeit von Dramatikern nicht nur unbesiedelte, 35

sondern überhaupt noch nicht entdeckte Gebiet der tragischen Groteske.

Die Situationen sind Grenzsituationen, und zwar jenseits der Grenze. Die Bilder auf der Bühne sind Zerrbilder. Die Wirklichkeit und die Kritik an ihr verzehnfachen sich durch die Genauigkeit der Übertreibung. Dieser Doktor und dieser Hauptmann, doch auch der Tambourmajor und der Marktschreier sind Karikaturen. Sie haben eine Maske vorm Gesicht, doch nicht nur das – sie haben auch noch ein Gesicht vor der Maske! So oft man diese Szenen liest oder im Theater wiedersieht, verschlägt es einem den Atem. Mit wie wenigen und mit welch wortkargen und scheinbar simplen Dialogen wird hier die Wirklichkeit heraufbeschworen, ohne daß sie geschildert würde! Und wie gewaltig ertönt die Anklage, obwohl und gerade weil sie gar nicht erhoben wird! Nie vorher – und seitdem nicht wieder – wurde in unserer Literatur mit ähnlichen Stilmitteln Ähnliches erreicht.

20 *Erich Kästner: [Büchner-Preis-Rede]. In: Gesammelte Schriften, Band 5. Atrium Verlag, Zürich 1959. Zitiert nach: Büchner-Preis-Reden 1951–1971. Reclam Verlag, Stuttgart 1972, S. 54 f.*

III. Der realgeschichtliche Hintergrund

Unser Leben ist der Mord durch Arbeit; wir hängen sechzig Jahre lang am Strick und zappeln, aber wir werden uns losschneiden. *(Büchner: Dantons Tod, I. Akt, Eine Gasse.)*
Das Verhältnis zwischen Armen und Reichen ist das einzige revolutionäre Element in der Welt. *(Büchner, Brief an Gutzkow, Straßburg 1835.)*

1. Bettina von Arnim: In der Armenkolonie

(1843)
Vor dem Hamburger Tore, im sogenannten *Vogtland*, hat sich eine förmliche Armenkolonie gebildet. Man lauert sonst jeder unschuldigen Verbindung auf. Das aber scheint gleichgültig zu sein, daß die Ärmsten in *eine* große Gesellschaft zusammengedrängt werden, sich immer mehr abgrenzen gegen die übrige Bevölkerung und zu einem furchtbaren Gegengewichte anwachsen. Am leichtesten übersieht man einen Teil der Armengesellschaft in den sogenannten »Familienhäusern«. Sie sind in viele kleine Stuben abgeteilt, von welchen jede einer Familie zum Erwerb, zum Schlafen und Küche dient. In vierhundert Gemächern wohnen zweitausendfünfhundert Menschen. Ich besuchte daselbst viele Familien und verschaffte mir Einsicht in ihre Lebensumstände.
In der Kellerstube Nr. 3 traf ich einen Holzhacker mit einem kranken Bein. [...] Dieser wurde arbeitsunfähig beim Bau der neuen Bauschule. Sein Gesuch um Unterstützung blieb lange Zeit unberücksichtigt. Erst als er ökonomisch völlig ruiniert war, wurden ihm monatlich fünfzehn Silbergroschen zuteil. Er mußte sich ins Familienhaus zurückziehen, weil er die Miete für eine Wohnung in der Stadt nicht mehr bestreiten konnte. Jetzt erhält er von der Armendirektion zwei Taler monatlich.

In Zeiten, wo es die unheilbare Krankheit des Beines gestattet, verdient er einen Taler monatlich. [. . .] Dagegen kostet die Wohnung zwei Taler; eine »Mahlzeit Kartoffeln« einen Silbergroschen neun Pfennig; auf
5 zwei tägliche Mahlzeiten berechnet, beträgt die Ausgabe für das Hauptnahrungsmittel dreieinhalb Taler im Monat. [. . .]

[. . .] Es ist leider jetzt so, daß sich die Armen, anstatt der Reichen, der Armut schämen. [. . .]

10 [. . .] Es sind indessen die angeführten Beispiele weder ausgesucht noch ausgemalt, so daß sich leicht auf die übrigen Bewohner der Familienhäuser schließen läßt; und für einmal ist deutlich genug nachgewiesen, wie man die Leute durch alle Stufen des Elendes in den Zu-
15 stand hinabsinken läßt, aus welchem sie sich, selbst mit erlaubten Mitteln, nicht wieder herausarbeiten können; und daß mit den als Almosen hingeworfenen Zinsen der Armengüter keinem aufgeholfen wird. [. . .]

Zitiert nach: Klassenbuch 1. Ein Lesebuch zu den Klassenkämp-
20 *fen in Deutschland 1756–1850. Luchterhand Verlag, Darmstadt und Neuwied 1972, S. 142 f, 145. Ausschnitte.*

2. Gerhard Armanski:
[Pauperisierung/Proletarisierung]

(1974)
25 Die Anfang der 30er Jahre bestehenden Industriefabriken beruhten zwar bereits auf fortschrittlicher Betriebsweise, ihr Umfang war aber noch sehr gering. Erst in den anschließenden Jahren erfolgte eine *sprunghafte Ausdehnung der angelegten Kapitalmassen,* vor allem
30 des konstanten fixen Kapitals. Dies setzte einen gewissen Fortschritt in der *Akkumulation von Geldfonds* und eine *genügende Anzahl exploitabler Lohnarbeiter* voraus. Die notwendige Reservearmee stellten die eigentumslose ländliche Überschußbevölkerung und die ins Proleta-
35 riat absinkenden städtischen Handwerker. [. . .]

54

Die *Verschuldung* der Handwerker war hoch, besonders wenn sie von industrieller oder manufaktureller Konkurrenz betroffen waren. Der überwiegenden Zahl tendenziell proletarisierter Handwerker stand nur eine kleine Schicht Wohlhabender gegenüber. *Besonders* 5 *schlecht war die Lage der Gesellen.* Ihre ökonomische Lage verschlechterte sich im Zuge der Auflösung der patriarchalischen Bindungen an den Haushalt des Meisters, der abnehmenden Chancen, sich selbständig machen zu können. [. . .] 10
[. . .] In vielen Fällen bekamen die Gesellen im Handwerk auch keinen Arbeitsplatz mehr.
[. . .] Das Handwerk verlor seine traditionelle kleinbürgerliche Geschlossenheit. [. . .]
[. . .] Die Zahlenverhältnisse sahen so aus, daß in Preu- 15 ßen Mitte der 40er Jahre auf knapp 400 000 Handwerksgesellen und -lehrlinge »etwa viermal so viele Gesindepersonen und etwa fünfmal so viele Tagelöhner (kamen), während die Zahl der Farbrikarbeiter erst wenig höher als die Zahl der Handwerksgesellen und 20 -lehrlinge war.« [. . .]
Durch die Kapitalisierung der Landwirtschaft entstand ein recht großes ländliches Proletariat, während in der Stadt die Handwerksgesellen und Manufakturarbeiter dominierten. Das *klassische Industrieproletariat war* 25 *noch unbedeutend.* [. . .]
Das städtische Fabrikproletariat rekrutierte sich insgesamt weniger unmittelbar aus den Bauern bzw. der ländlichen Reservearmee, sondern »vor allem aus den ihres Eigentums beraubten Handwerkern [und Hand- 30 werksgesellen, G. A.], aus Hausindustrie- und Heimarbeitern, aus ländlichen Tagelöhnern, die auch kein kleines Stück Boden besaßen, aus Vagabunden aller Art und auch aus den in zentralen Manufakturen Beschäftigten«, sowie aus den städtischen Tagelöhnern. [. . .] 35
Während Fabrikarbeiter und Gesellen mit ihren Verdiensten noch relativ auskömmlich leben konnten, waren die *Verhältnisse der Frauen, Kinder, kleinen Meister, Kranken, Heim- und Landarbeiter stets in Gefahr, in*

Pauperismus überzugehen, was durch die ausgedehnte Arbeitslosigkeit noch verstärkt wurde.

Die *Stufenfolge der Verelendung* ging für den einzelnen Arbeiter vom gelernten Handwerk über ungelernte Fa-
5 brikarbeit und Heimarbeit zur Arbeitslosigkeit. [...]

Gerhard Armanski: Entstehung des wissenschaftlichen Sozialismus. Luchterhand Verlag, Darmstadt und Neuwied 1974, S. 23 ff. Ausschnitte.

3. Helmut Böhme: [Revolutionäres Ferment]

10 *(1968)*

[...] Im Gegensatz zum Pauper auf dem Lande nahm jedoch diese sich bildende Klasse [die Schicht der Handwerker, d. Hrsg.] ihr Schicksal nicht widerspruchslos hin; in zunehmendem Maße wirkte sie als Ferment einer
15 revolutionären Bewegung, deren Führer eine radikale Umschichtung der Besitzverhältnisse und der staatlichen Machtverteilung forderten. [...]

Helmut Böhme, Prolegomena zu einer Wirtschafts- und Sozialgeschichte Deutschlands im 19. und 20. Jahrhundert. Suhrkamp
20 *Verlag, Frankfurt a. M. 1968, S. 36. Ausschnitt.*

4. Was ist ein Proletarier? — Fünf Definitionen 1844—1849

a) anonym, Magdeburg 1844

Ein Proletarier ist ein Mensch, der arbeiten will und
25 kann, dem es aber bei Gelegenheit an Arbeit oder an der ordentlichen Verwertung derselben gebricht. Ein Proletarier braucht deshalb im Augenblick noch nicht zu darben, aber er muß immer in Gefahr sein, bei ungünstiger Wendung der Dinge dem Elende anheimzu-
30 fallen. Er verdient nur so wenig, daß er nie etwas erspart; er lebt aus der Hand in den Mund; was er heute verdient, das verbraucht er auch heute schon wieder;

das Leben eines Proletariers ist also ein Kampf, der täglich mit dem Hunger um das Leben geführt wird. [Der Proletarier hat] ein Bewußtsein seiner Lage [. . .] Hierin unterscheidet sich der Proletarier wesentlich vom Armen, der sein Geschick als eine göttliche Vorbestimmung hinnimmt, nichts verlangt als Almosen und Faulheit. Der Proletarier hat sodann eingesehen, daß er sich in einem Zustande befindet, der unerträglich und ungerecht ist, er hat reflektiert und fühlt die Sehnsucht nach Besitz; er will teilnehmen an den Freuden des Lebens [. . .] dazu kommt das Bewußtsein seiner Kraft [. . .] er hat gesehen, daß die Welt vor ihm gezittert hat; diese Erinnerung macht ihn kühn; er kommt so weit, die Gesetze und das Recht nicht mehr anzuerkennen. Bisher galt das Eigentum für ein Recht, er stempelt es zum Raube.

b) Heinrich Bettziech, 1845
Es ist richtig, daß der Sinn der allgemeinen Klage über »schlechte Zeiten« nur das gesellschaftliche Krankheitsgefühl ist, des Arbeitens für fremde, egoistische Zwecke ohne hinreichenden Lohn, des unsicheren Arbeitens, der »Angstarbeiterei«, d. h. der Arbeit aus Angst, die Lebensmittel und die Arbeit zu verlieren, Arbeit, welche so unsicher ist als das Leben selbst [. . .] Das ist Proletariat, Angstarbeiterei.

c) Karl Marx/Friedrich Engels, 1848
Unter Proletariat [wird verstanden] die Klasse der modernen Lohnarbeiter, die, da sie keine eigenen Produktionsmittel besitzen, darauf angewiesen sind, ihre Arbeitskraft zu verkaufen, um leben zu können [. . .] In demselben Maße, worin sich die Bourgeoisie, d. h. das Kapital, entwickelt, in demselben Maße entwickelt sich das Proletariat, die Klasse der modernen Arbeiter, die nur so lange leben, als sie Arbeit finden, und die nur so lange Arbeit finden, als ihre Arbeit das Kapital vermehrt. Diese Arbeiter, die sich stückweis verkaufen müssen, sind eine Ware wie jeder andere Handelsartikel

und daher gleichmäßig allen Wechselfällen der Konkurrenz, allen Schwankungen des Marktes ausgesetzt. –
Die Arbeit der Proletarier hat durch die Ausdehnung
der Maschinerie und die Teilung der Arbeit allen selb-
5 ständigen Charakter und damit allen Reiz für die Arbeiter verloren. Er wird ein bloßes Zubehör der Maschine,
von dem nur der einfachste, eintönigste, am leichtesten
erlernbare Handgriff verlangt wird.

d) Wilhelm Heinrich Riehl, 1848

10 Die Arbeit ist des ›Arbeiters‹ einzigster Besitz; die anderen arbeitenden Klassen haben Eigentum, Ruhm, Ehre,
Ämter, Familienleben neben und mit der Arbeit, der
Arbeiter hat das alles nicht, er hat bloß die Arbeit, die
Arbeit allein ist sein Stab und sein Trost. Darf er sich da
15 nicht schlechtweg ›Arbeiter‹ nennen in Stolz und De-
mut? [. . .] Freilich erheben sich wohl gar wenige Arbeiter auf die Höhe dieses Standpunktes. Aber die fort-
schreitende Zeit wird sie dazu erziehen. Und vor allen
soll der deutsche Arbeiter, dem es als angeborenes Erb-
20 teil im Blute liegt, neidlos, entsagungsvoll und um Got-
teswillen zu arbeiten, diesem Ziele der Selbsterkenntnis
nachtrachten.

e) Friedrich Harkort, 1849

Einen Proletarier nenne ich den, welchen seine Eltern
25 in der Jugend verwahrlost, nicht gewaschen, nicht gest-
riegelt, weder zum Guten erzogen noch zur Kirche und
Schule angehalten haben. Er hat sein Handwerk nicht
erlernt, heiratet ohne Brot und setzt seinesgleichen in
die Welt, welche stets bereit sind, über anderer Leute
30 Gut herzufallen und den Krebsschaden der Kommunen
bilden. Warum sorgen die Gemeinden nicht selbst besser für die Ausrottung dieser Zuchthauskandidaten?
Ferner heiße ich Proletarier: Leute, die, von braven Eltern erzogen, durch die Verführung der großen Städte
35 zugrunde gegangen sind; Wüstlinge und Zecher, die den
blauen Montag heiliger halten als den Sonntag; verlore-

ne Söhne ohne Reue, denen Gesetz und Ordnung ein
Greuel ist [...] Diese beiden Klassen bilden die echten
Hilfstruppen der Aufwiegler, bestehend aus verdorbe-
nen Schreibern, schlechten Rechnungsführern, Haar-
spaltern und Doktoren ohne Kranke, Judenjungen, 5
weggejagten Militärs und allen Taugenichtsen, die ohne
Mühe zu Ehren und Ansehen gelangen wollen! Sagt
mir: Wer von Euch hätte wohl gedacht, daß Deutschland so reich sei an solch' sauberer Gesellschaft? Nicht
aber rechne ich zu den Proletariern den braven Arbei- 10
ter, dem Gott durch die Kraft seiner Hände und den
gesunden Menschenverstand ein Kapital verlieh, welches ihm niemand rauben kann, es sei denn Krankheit
oder Alter. Der wird schon durchkommen, wenn jene
bösen Buben die Ruhe und öffentliche Wohlfahrt nicht 15
stören.

*Zitiert nach Wolfgang Emmerich (Hrsg.): Proletarische Lebens-
läufe, Band 1. Rowohlt, Reinbek 1974, S. 43 f.*

5. Karl Marx/Friedrich Engels: [Die Bourgeoisie] 20

(1848)
Die Bourgeoisie, wo sie zur Herrschaft gekommen, hat
alle feudalen, patriarchalischen, idyllischen Verhältnisse zerstört. Sie hat die buntscheckigen Feudalbande, die
den Menschen an seinen natürlichen Vorgesetzten 25
knüpften, unbarmherzig zerrissen und kein anderes
Band zwischen Mensch und Mensch übriggelassen als
das nackte Interesse, als die gefühllose »bare Zahlung«.
Sie hat die heiligen Schauer der frommen Schwärmerei,
der ritterlichen Begeisterung, der spießbürgerlichen 30
Wehmut in dem eiskalten Wasser egoistischer Berech-
nung ertränkt. Sie hat die persönliche Würde in den
Tauschwert aufgelöst und an die Stelle der zahllosen
verbrieften und wohlerworbenen Freiheiten die *eine* ge-
wissenlose Handelsfreiheit gesetzt. Sie hat, mit einem 35

Wort, an die Stelle der mit religiösen und politischen Il-
lusionen verhüllten Ausbeutung die offene, unver-
schämte, direkte, dürre Ausbeutung gesetzt.

Die Bourgeoisie hat alle bisher ehrwürdigen und mit
5 frommer Scheu betrachteten Tätigkeiten ihres Heiligen-
scheins entkleidet. Sie hat den Arzt, den Juristen, den
Pfaffen, den Poeten, den Mann der Wissenschaft in ihre
bezahlten Lohnarbeiter verwandelt.

Die Bourgeoisie hat dem Familienverhältnis seinen rüh-
10 rend-sentimentalen Schleier abgerissen und es auf ein
reines Geldverhältnis zurückgeführt.

*Karl Marx/Friedrich Engels: Manifest der Kommunistischen
Partei. MEW 4. Dietz Verlag, Berlin (DDR), S. 464 f.*

6. Gert Mattenklott/Klaus R. Scherpe:
15 [Widerspiegelung]

(1974)
[. . .] Die Niederlage Napoleons, der Sieg der Restaura-
tion und die Karlsbader Beschlüsse, die Einsetzung
Louis Philippes im Juli 1830 und die Zensurerlasse des
20 Frankfurter Bundestages von 1835, Anfang und Ende
der Ära Metternich – also der Stand der Klassenausein-
andersetzungen in ihrer politischen Form – haben zwar
einschneidende Bedeutung für die Formierung, das
Tempo und die inhaltliche Bestimmtheit der literari-
25 schen Entwicklung des Vormärz, doch sind nicht sie der
wesentliche Gegenstand der literarischen Widerspiegelung und für einen bedeutenden Teil der literarischen
Produktion der Zeit kaum einmal Thema. Gegenstand
der Widerspiegelung ist vielmehr objektiv die gesell-
30 schaftliche Umschichtung unter dem doppelten Aspekt:
zum einen der Überwindung des Feudalismus durch die
industriekapitalistische Bourgeoisie, die danach strebt,
ihre wachsende ökonomische Macht auch politisch zur
Geltung zu bringen; zum anderen der wachsenden Em-
35 pörung der Volksmassen infolge der kapitalistischen

Produktions- und Ausbeutungsmethoden, des sich ent-
wickelnden Gegensatzes von Arbeit und Kapital. Auf
diese den historischen Prozeß bestimmenden Grundwi-
dersprüche sind die literarischen Ereignisse bezogen,
auch wo die handelnden Subjekte, auch wo die Autoren 5
der Zeit davon nichts wissen. [. . .]

*Gert Mattenklott/Klaus R. Scherpe: Demokratisch-revolutionä-
re Literatur in Deutschland. Vormärz. Scriptor Verlag, Kronberg
1974, S. 2. Ausschnitt.*

7. Gerhard Jancke: [Beispiele einer soziologischen Interpretationsmethode] 10

(1975)
a) [Die Rede des Handwerksburschen]
Die Rede des Handwerksburschen führt [. . .] ins Herz
der Büchnerschen Gesellschaftsauffassung. [. . .] Der auf 15
dem Tische in der Kneipe predigende Handwerks-
bursche stellt die Frage, die wir als Büchners Lebens-
frage erkannt haben – die Frage nach dem Zweck des
Menschen, nach dem Zweck des menschlichen Lebens.
[. . .] 20
Diese Worte sind oft als bloßer Unsinn eines Betrunke-
nen, bestenfalls rein formal als eine Parodie des von
Büchner zurückgewiesenen teleologischen Standpunktes aufgefaßt worden. [. . .]
[. . .] Es ist aber deutlich, daß diese »Teleologie« die 25
ökonomische Realität der bürgerlichen Gesellschaft ist:
der Produzent wird als das Primäre erkannt, aber das
Produkt ist nicht berechnet auf die Befriedigung seiner
Bedürfnisse, sondern muß erst den Umweg über die
Ware und den Austausch gehen. Es ist also nicht die 30
Gesellschaft als eine gemeinschaftliche unterstellt, sondern die Gesellschaft besteht auf der Teilung der Arbeit
und dem Privateigentum; für den Privateigentümer
taucht der andere Mensch erst an der Grenze auf, wo er
seine Ware verkaufen muß, wodurch allein sie Wert für 35

ihn bekommt, da er sein Produkt ja nicht unmittelbar
für sich selber gebrauchen kann, sondern nur durch den
Verkauf realisieren kann; den anderen Menschen treibt
aber sein Bedürfnis zum Kauf, und er kann nur Käufer
5 sein, weil er selber Verkäufer ist. [. . .]
Dieser Sachverhalt wird präzise in der Predigt dargestellt: Die Produktion ist nicht um des Menschen, sondern der Mensch um der Produktion willen da. [. . .]
In der Predigt des Handwerksburschen erscheint also
10 weniger ein verdrehter Schöpfungsmythos als vielmehr
die Wahrheit der kapitalistischen Gesellschaft. [. . .]
Auch der Schluß knüpft, mit deutlicher Wendung gegen
das Geld, das als bevorrechtigter Wert angesprochen
wird, an die Entwertungsthematik von Lenz an. [. . .]
15 Auch der Schlußsatz ist noch eine Anspielung aufs
Ökonomische: »Zum Beschluß meine geliebten Zuhörer
laßt uns noch über's Kreuz pissen, damit ein Jud stirbt.«
[. . .]
[. . .] Denn der Jude erscheint ja historisch als Verkörpe-
20 rung des Wucherkapitals und Bankkapitals (eine Rolle,
die das Mittelalter, das noch ein Gefühl für die Un-
christlichkeit des Geldhandels hatte, ihm zuwies, als es
ihn von Grundbesitz und Zunftgewerbe ausschloß);
auch in der zweiten Erwähnung eines Juden im ›Woy-
25 zeck‹ wird die ökonomische Assoziation sichtbar. Als
Woyzeck sich bei einem Juden die spätere Mordwaffe
kauft, sagt dieser zu ihm: »Er soll nen ökonomischen
Tod habe« (hier Seite 20, Zeile 32). Wie in der Predigt
des Handwerksburschen das Leben nur als Ergebnis ei-
30 nes permanenten Schachers sich herstellt, so hier der
Tod.

b) Das Märchen der Großmutter
(1975)
35 Die Welt, in der die Menschen sich gegenseitig wertlos
sind und nur durch die Gegenstände aufeinander bezogen, deren Erwerb wiederum sich das Leben unterord-
net – eine solche Welt ist letzten Endes eine Ruine, in
der das Individuum verlassen, als lebender Leichnam

umherirrt; diese Welt, in der alles in Verwesung über-
geht, alles »eitel« und wertlos ist, diese Entwertung im
kosmischen Maßstab als Sinnbild der menschlichen Situation wird im Märchen der Großmutter dargestellt.
[. . .]

Dies ist in der Tat die radikalste Zerstörung des Kos-
mos: statt des Alls aufeinanderbezogener Körper enthüllt sich das Weltall als ein Sammelsurium von Gegenständen, die in absurder Beziehungslosigkeit im leeren
Raum umherschwimmen und denen keinerlei Bedeutung abgenötigt werden kann außer der, den vollkom-
menen Unwert zu demonstrieren: Zerfallendes, Totes,
Verwesendes, Exkremente – eine Welt im Zustand der
Auflösung; legitimer als in der Hyperbel Lenas oder als
in dem anmaßenden Pathos der Enttäuschung der Dan-
tonisten kann das Volk, dessen Leben ein »langer
Werktag« ist und die »ein Leben lang am Strick« hängen, in diesem Bild seine Situation beschreiben (keines-
wegs kann man in dem Schluß einen Hoffnungsschim-
mer erkennen, wie Ullmann dies in krasser Fehldeutung
tut: »wenn das Kind, ›wieder auf die Erd‹, nach Hause
will, was könnte heimischer sein, als die Küche, wohin
der ›Hafen‹, der Topf wohl gehört«[2]; mit dem ›Hafen‹ ist
hier ein Nachttopf gemeint, und der ›umgestürzte Hafen‹ meint in einer Gefäß-Inhalt-Metonymie das aus
den Nachttopf Ausgeschüttete – das gleiche Bild ver-
wendet Büchner in einem Szenen-Entwurf: »Die Sonne
kommt zwischen de Wolke hervor, als würd e potcham-
bre ausgeschütt«.

Wir werden sehen, daß dieses Märchen die Situation
Woyzecks korrekt wiedergibt: die vollkommene Abwe-
senheit von Kommunikation, die Verweigerung einer
positiven Beziehung zur Umwelt und einer aktiven Beziehung zur Gesellschaft. [. . .]

Gerhard Jancke: Georg Büchner, s. o., S. 271, 274 f.
Ausschnitte.

(2) Bo Ullmann: Die sozialkritische Thematik im Werk Georg Büchners und ihre Entfaltung im ›Woyzeck‹. – Diss. phil. Stockholm 1970
(= Germanistische Dissertationen 1), 183 S.; hier S. 142.

IV. Büchners Aktualität

Nur ein völliges Mißkennen unserer gesellschaftlichen Verhältnisse konnte die Leute glauben machen, daß durch die Ta-
gesliteratur eine völlige Umgestaltung unserer religiösen und
5 gesellschaftlichen Ideen möglich sei.

(Büchner: Brief an die Familie. Straßburg, 1. Januar 1836.)

1. Hans Mayer: [Aktualisierung als Problem]

(1973)
Es ist nicht aktuell, hier in unsere Zeit etwas importie-
10 ren zu wollen. Die wirkliche dialektische Fragestellung
scheint mir die umgekehrte zu sein. Es war Brecht, der
sich nun wirklich in Fragen sowohl der Progressivität
wie Aktualität auskannte, der immer wieder, als man
mit ihm über Fragen des Sturm und Drang sprach, ob
15 man diese Werke auf die Bühne bringen sollte, [. . .] uns
einschärfte auf den Proben: »Bitte vergessen Sie nicht,
zweihundert Jahre sind eine lange Zeit.«
Ich glaube, das ist die richtige Frage, die auch für unser
Thema »Georg Büchner in unserer Zeit« als Motto
20 gewählt werden sollte. Georg Büchner ist nicht von unserer Zeit! Georg Büchner ist mit 23 Jahren, 1813 gebo-
ren, in Zürich im Februar 1837 gestorben: in einer Welt,
die nichts mehr mit der unsrigen verbindet. Sein Le-
bensschicksal hat nichts mit unseren Aktualitäten, Sor-
25 gen, Widersprüchen zu tun. Wenn wir von Georg Büchner in unserer Zeit sprechen, so können wir uns nicht
augenzwinkernd ihm nähern, ihn gleichsam zu uns her-
anziehen, gleichsam jungschminken – es bedarf dessen
nicht –, sondern wir müssen uns fragen, was eigentlich
30 die Relevanz Büchners in der Gegenwart, in unserem
Repertoire und demgemäß auch in der Diskussion des
heutigen Abends bedeuten mag: bedeuten könnte. [. . .]

64

Hans Mayer: Georg Büchner in unserer Zeit. In H. M.: Nach Jahr und Tag. Reden 1945–1977. Suhrkamp Verlag, Frankfurt a. M. 1978, S. 200. Ausschnitte.

2. Hans Mayer: [Momente der Aktualität]

(1973)

[. . .] Ich glaube, man kann einige Momente sichtbar machen, die das Außergewöhnliche, das ganz und gar Anormale in Büchners Rolle innerhalb der deutschen Literaturgeschichte offenbar werden lassen. Da ist zunächst [. . .] die sonderbare Totalität der Büchnerschen Lebensinteressen, wie man das vielleicht nennen könnte. Ich meine die Tatsache, daß Büchner sich in einem ganz erstaunlichen Sinne bemüht hat, in allen Bereichen des Lebens, des Denkens, der Theorie wie der Praxis da zu sein, sich zu äußern, zu engagieren. [. . .]

Georg Büchner unterscheidet sich von den Versuchen der Goethezeit, eine Totalität der Hervorbringungen anstreben zu wollen, insofern, als – von Lessing oder Goethe bis Hebbel – diese Totalität nur eine Totalität der Literatur war. Man wollte sich in allen Bereichen der Literatur bewähren, aber eben vor allem doch nur der Literatur. Bei Büchner ist die Totalität der Lebensinteressen wesentlich stärker. [. . .]

Eine vierte Besonderheit Büchners gegenüber den meisten seiner literarischen Zeitgenossen ist, daß sein Denken auch in der Literatur sehr wesentlich das Denken eines Naturwissenschaftlers und nicht eines Geisteswissenschaftlers ist. [. . .]

Ein fünftes besonderes Element, das Büchners Einzigartigkeit erläutern könnte: Im Gegensatz zu den meisten seiner Zeitgenossen, und vielen seiner Nachfolger, ist Büchner einer der wenigen deutschen Autoren, die etwas von französischer Tradition verstanden. [. . .] Die französische Revolution samt ihren Folgen wurde Bestandteil seines eigenen Denkens und Schaffens, und

das mitten in einer Zeit, da fast alle Zeitgenossen Büchners einer etwas nachromantischen und einfältigen
Deutschtümelei nachzuhängen pflegten. [. . .]
Bei Büchner gibt es bereits eine Vorwegnahme von
5 Gedanken des sogenannten utopischen Sozialismus.
Darin ist er mit seinem Zeitgenossen Heinrich Heine
durchaus konform. Aber im Gegensatz zu Heine, sehr
im Gegensatz zu Heine, ist bei Büchner das Interesse
am Denken der utopischen Sozialtheoretiker gekoppelt
10 mit dem Interesse an der realen Arbeiterbewegung, an
elenden Verhältnissen der Arbeiterschaft, die er kaum
in Deutschland kennenlernte, wo die Anfänge der Indu-
strialisierung sich zögernd vollzogen, aber sehr genau in
Frankreich studiert hatte. 1831 gab es den berühmten
15 Aufstand der Seidenweber von Lyon, die erste große
Manifestation der Arbeiterbewegung in der europä-
ischen Geschichte oder überhaupt in der modernen Sozialgeschichte. Büchner, damals Student in Straßburg,
konnte sich nicht sattlesen an den Berichten darüber.
20 [. . .]
Büchner ist in jenem Sinne auch ein moderner Autor,
als er nicht Selbstdarstellung, Schöpfung als Identitäts-
findung produziert, sondern objektive Darstellung von
Konstellationen und dialektischen Widersprüchen.
25 [. . .] Gefährlichkeit Büchners ist gleichzeitig auch die
Tatsache, daß er keinen Trost durch Dichtung kennt,
keine Erbaulichkeit, daß er die Frage der Revolution
und die Frage des Wohlstandes gestellt hat. [. . .]
Die Revolution und der Wohlstand, Woyzeck und das
30 Problem der Selbstentfremdung, immer wieder – bei
Büchner – Widersprüche der Aufklärung, des Fort-
schritts, der Freiheit, der Manipulation. [. . .]

*Hans Mayer: Georg Büchner in unserer Zeit, s. o., S. 206 ff.
Ausschnitte.*

Zeittafel

Lebensdaten des Johann Christian Woyzeck

1780	Geburt als Sohn eines Perückenmachers.
1793–1798	Zwei Lehren bei Perückenmachern.
1798	Wanderschaft und Arbeitssuche.
April 1807	Woyzeck wird schwedischer Soldat.
1807–1818	Woyzeck ist Soldat verschiedener Militärmächte.
1810	Beziehungen zur »Wienbergin«, die ein Kind von ihm hat.
Dezember 1818	Woyzeck kehrt nach Leipzig zurück. Gelegenheitsarbeiter, Bedienter, Bettler.
Februar 1819– Juni 1820	Beziehungen zur »Woostin«.
21. Juni 1821	Woyzeck ersticht die 46jährige Johanna Christiane Woost.
September 1821	Erstes Gutachten des Hofrats Clarus.
Februar 1823	Zweites Gutachten des Hofrats Clarus.
27. August 1824	Öffentliche Hinrichtung Woyzecks auf dem Leipziger Marktplatz.
1825 und 1826	Veröffentlichung der beiden Clarus-Gutachten in Henkes Zeitschrift für Staatsarzneikunde.

Zu Leben und Werk Büchners

17. Oktober 1813	Geburt in Goddelau im Großherzogtum Hessen-Darmstadt als Sohn eines Landarztes.
1831	Aufnahme des Medizinstudiums an der Universität Straßburg. Kontakte zu der demokratischen Opposition gegen das »Bürgerkönigtum« Louis Philipps. Erlebt die Anfänge der sozialen

	und sozialistischen Bewegung (Lyoner Seidenweberaufstand; Gesellschaft der Menschenrechte; Saint-Simonismus).
Oktober 1833	Rückkehr nach Hessen wegen verpflichtender Beendigung des Studiums in Gießen.
März 1834	Büchner gründet den Geheimbund ›Gesellschaft der Menschenrechte‹ (politische und militärische Schulung der beteiligten Studenten und Handwerker). Er verfaßt die sozialrevolutionäre Flugschrift ›Der Hessische Landbote‹.
Februar 1835	Fertigstellung des Dramas ›Dantons Tod‹.
März 1835	Flucht nach Straßburg wegen behördlicher Nachstellungen.
Herbst 1835	Arbeit an der Novelle ›Lenz‹.
Frühsommer 1836	Das Lustspiel ›Leonce und Lena‹ entsteht.
September 1836	Promotion an der Universität Zürich mit einer Arbeit über das Nervensystem der Fische. Angebot einer Privatdozentur für Physiologie und Anatomie.
Oktober 1836	Übersiedlung nach Zürich.
Seit September 1836	Arbeit an dem Drama ›Woyzeck‹.
19. Februar 1837	Büchner stirbt an Typhus.
1850	Der Bruder Ludwig Büchner gibt Georg Büchners Schriften als ›Nachgelassene Schriften‹ heraus. Das ›Woyzeck‹-Fragment wurde wegen »Unleserlichkeit« und »Zusammenhanglosigkeit« nicht aufgenommen.
1879	Karl Emil Franzos publiziert die ›erste kritische Gesamt-Ausgabe‹. Unter dem Titel ›Wozzek‹ konnte das Fragment aufgenommen werden, da durch eine chemikalische Behandlung der Handschriften ihre Lesbarkeit erreicht wurde. Die Szenenfolge des ›Trauer-

	spiel-Fragments‹ legte Franzos nach eigenem Ermessen fest.
Herbst 1913	Uraufführung des ›Woyzeck‹ im Münchner Residenztheater.
1925	Uraufführung der Oper ›Wozzek‹ von Alban Berg.

Editionen für den Literaturunterricht

Herausgeber: Dietrich Steinbach

Ausgaben klassischer Werke mit Materialienanhang

Editionen für den Literaturunterricht

Herausgeber: Dietrich Steinbach

**Ausgaben klassischer Werke
mit Materialanhang**

Editionen für den Literaturunterricht

Herausgeber: Dietrich Steinbach **Anthologien mit Materialienanhang**